编者的话

《小学生阅读文库》专门为处于小学阅读阶段的小读者编写，**旨在配合小学语文教学，增加小学生的阅读量，提高小学生的阅读能力、写作能力和语言表达能力**。

为实现广大家长望子成龙的心愿，满足小朋友们急不可待地求知欲望和阅读热情，我们把这些堪称世界文化瑰宝的杰作进行了精心筛选、整理和加工，使其更适合小读者的口味。《文库》涉及**唐诗、成语、寓言、童话、文学名著、故事和笑话**等多种类别，**知识面广，信息量大**，可以满足小读者在整个小学期间的课外阅读和知识需求。

多数小读者在阅读过程中缺乏耐性，为避免阅读的枯燥，《文库》绘制了大量新鲜生动、最能激发小读者阅读兴趣的精彩插图。同时，我们给文章加注了拼音，能够帮助小学生学习生字，纠正发音，提高讲普通话水平。秉承我们**"一切为了孩子"**的出书准则，特将书价定得很低，是为了**让更多的孩子尽可能地多阅读一些有益于他们成长的好书**。

在同类读物中，本《文库》具有很强的**代表性和权威性**。在编辑过程中，我们聘请了一大批经验丰富的资深编辑，也得到部分儿童教育专家和许多优秀小学教师的指导和支持，**在这里我们谨向他们表示衷心的感谢**！

天津人民美术出版社
（国家优秀出版社）

图书在版编目(CIP)数据

外国儿童文学精粹/卢品贤编. —天津: 天津人民美术出版社，2001.9
ISBN 7-5305-1636-1

Ⅰ.外... Ⅱ.卢... Ⅲ.儿童文学—作品集—世界
Ⅳ.I18
中国版本图书馆CIP数据核字(2001)第060737号

策　　划：刘建平
责任编辑：昭　富　张　蕾　谢凤岗
封面设计：独角王卡通制作
电脑图文：新生代艺术工作室

天津人民美术出版社出版发行
天津市和平区马场道150号
邮编:300050 电话:(022)23283867
出版人:刘建平
河北省徐水县印刷厂印刷 新华书店天津发行所经销
2001年10月第1版 2001年10月第1次印刷
开本:850×1168毫米 1/32 印张:99 印数:1－10000
 全套十一册定价:110元(本册:10元)

目录

爱丽丝漫游奇境

jiě jie zài shù xià kàn shū ài lì sī méi
姐姐在树下看书，爱丽丝没
yǒu shén me shì qing kě zuò bù shí còu guò qù kàn
有什么事情可做，不时凑过去看
jiě jie de shū tā jué de shū yě méi duō dà yì
姐姐的书。她觉得书也没多大意
si yǒu xiē wú liáo hěn xiǎng zhǎo diǎn shì gàn tā
思，有些无聊，很想找点事干，她
xiǎng zuò gè měi lì de huā huán dàn yòu lǎn de qù
想做个美丽的花环，但又懒得去
cǎi huā gàn diǎn shén me ne tā xiǎng zhe de
采花，“干点什么呢？”她想着的
shí hou yī zhī kě ài de xiǎo bái tù tū rán cā
时候，一只可爱的小白兔突然擦
zhe tā shēn biān pǎo guò qù
着她身边跑过去。

xiǎo bái tù tíng le yī xià jū rán dǎ nèi
小白兔停了一下，居然打内
yī kǒu dai lǐ tāo chū le yī zhī shǒu biǎo rèn zhēn
衣口袋里掏出了一只手表，认真

看了一眼，马上急急忙忙地跑了。爱丽丝立刻精神起来，跳起身，紧跟着小白兔追下去。追着追着，眼前一株大树上面有一个大洞，小白兔噌地跳进里面去。好奇的爱丽丝连想一下都没有，也随着跳进洞去。

这个洞像一条很直的隧道，爱丽丝无法停下脚，身子飞快下沉。

洞实在太深，可能在地心深处。爱丽丝渐渐慢了下来，她可以四下张望了。

这个洞真是太神奇了，她努力朝下看，下头黑洞洞的，什么也看不清楚。不过，她却能看清洞壁上摆满的书架，洞壁上还挂着

dì tú hé huà shén me de zài yī gè jià zi shang
地图和画什么的。在一个架子上，
tā shēn shǒu qǔ xià yī gè biāo zhe jú zi jiàng de
她伸手取下一个标着“橘子酱”的
guàn zi dàn shì kōng de
罐子，但是空的。

zhè shí tū rán sōu de yī shēng ài
这时，突然“嗖”的一声，爱
lì sī jīng de yī pì gu zuò zài dì shang tā jīng
丽丝惊得一屁股坐在地上。她惊
kǒng de huán shì sì zhōu kàn qīng nà zhī xiǎo bái tù
恐地环视四周，看清那只小白兔
zhèng jí jí cōng cōng de wǎng qián pǎo yī biān pǎo yī
正急急匆匆地往前跑，一边跑一
biān shuō wǒ de ěr duo hé hú zi tài wǎn le
边说：“我的耳朵和胡子！太晚了，

tài wǎn le
太晚了！”

ài lì sī bù yóu zì zhǔ de pǎo shàng qù
爱丽丝不由自主地跑上去，
tā gǎn jué zì jǐ de shēn zi xiàng fēng yī yàng qīng kuài
她感觉自己的身子像风一样轻快。
dàn shì yī zhǎ yǎn de gōng fu xiǎo bái tù yòu bù
但是，一眨眼的工夫，小白兔又不
jiàn le tā zhè cái tíng xià lái fā xiàn zì jǐ shì
见了，她这才停下来，发现自己是
zài yī gè yòu zhǎi yòu cháng de dà fáng zi lǐ wū
在一个又窄又长的大房子里。屋
lǐ dēng guāng hūn àn yī diǎn yě kàn bù qīng tù zi
里灯光昏暗，一点也看不清兔子
pǎo dào nǎ li qù le
跑到哪里去了。

dà wū lǐ de qiáng shang dào chù shì mén zhǐ
大屋里的墙上到处是门，只
shì dōu shàng zhe suǒ ài lì sī hěn xiǎng dǎ kāi qí
是都上着锁，爱丽丝很想打开其
zhōng de yī shàn mén tā yòng lì qù tuī zěn me yě
中的一扇门，她用力去推，怎么也
tuī bù kāi
推不开。

zěn me cái néng chū qù ne ài lì sī
“怎么才能出去呢？”爱丽丝
hài pà le shāng xīn de kū qǐ lái tū rán tā
害怕了，伤心地哭起来。突然，她
fā xiàn le xī wàng zài yǎn qián de zhuō zi shang fàng
发现了希望，在眼前的桌子上放
zhe yī bǎ jīn guāng shǎn shǎn de yào shi ài lì sī
着一把金光闪闪的钥匙。爱丽丝

shēn shǒu zhuā dào yào chí mǎ shàng jiù qù kāi mén kě
伸手抓到钥匙，马上就去开门，可
shì yào chí tài xiǎo le yī bǎ suǒ yě dǎ bù kāi
是，钥匙太小了，一把锁也打不开。

ài lì sī yòu huán gù sì zhōu kàn jiàn jiǎo
爱丽丝又环顾四周，看见角
luò lǐ yǒu yī shàn xiǎo mén zhǐ yǒu shí jǐ yīng cùn
落里有一扇小门，只有十几英寸
gāo tā yòng xiǎo yào chí qù kāi xiǎo mén qīng ér yì
高，她用小钥匙去开，小门轻而易
jǔ dǎ kāi le kě shì ài lì sī hái shì chū
举打开了。可是，爱丽丝还是出
bù qù tā yǒu yīng cùn ér xiǎo mén zhǐ yǒu
不去，她有150英寸，而小门只有15
yīng cùn
英寸。

ài lì sī tòu guò mén xiàng wài wàng tā kàn
爱丽丝透过门向外望，她看

jiàn yī gè měi lì de huā yuán huā yuán lǐ xiān huā
见一个美丽的花园。花园里鲜花
zhàn fàng dié wǔ fēng fēi ài lì sī hěn xiàng wǎng
绽放，蝶舞蜂飞。爱丽丝很向往
huā yuán de měi jǐng hèn bù néng biàn chéng yī gè xiǎo
花园的美景，恨不能变成一个小
ǎi rén cóng xiǎo mén chū qù
矮人，从小门出去。

ài lì sī zhī dào shǒu zhe xiǎo mén shǎ děng
爱丽丝知道，守着小门傻等
shì méi yòng de bì xū zhǎo dào lìng yī bǎ yào shi
是没用的，必须找到另一把钥匙。
tā yòu huí dào zhuō páng yì wài de fā xiàn yī gè
她又回到桌旁，意外地发现一个
xiǎo píng zi shàng mian de biāo qiān shang xiě zhe liǎng gè
小瓶子，上面的标签上写着两个

字：“喝我。”

爱丽丝听大人讲过，不能随便喝瓶子里的东西，以免中毒。她看了看瓶子上没有“毒药”的标记。爱丽丝冒险尝了一点，味道不错，像橘子汁和巧克力的味道，她一口气喝光。奇怪，爱丽丝在一点一点的变小，她只剩10英寸了，可以从小门到花园去玩了。可是钥匙在桌子上，她伸长胳膊也够不着，爱丽丝无助地哭了。

“光哭解决不了问题，要想办法。”爱丽丝替自己抹干眼泪，在大屋子里仔细找另外的钥匙。她找到了一个玻璃盒，里面有一块小蛋糕。蛋糕上有两个字：“吃我。”

爱丽丝自言自语："如果能使我变大，吃就吃。"

爱丽丝掰下一块面包放在嘴里，蛋糕又香又甜，她本来就饿了，一口气把蛋糕吃下去。

爱丽丝把手放在头顶，等待自己长高。

爱丽丝吃下蛋糕，就感觉自己的四肢在伸长，两只脚已经伸出很远，自己的手够不着给自己的脚穿鞋。这可怎么办呢，只好由两只脚互相关照了。爱丽丝对自己的变化毫无办法。

爱丽丝变得像一个巨人，头顶住了天花板。现在她约有300英寸，站在屋子中间顶天立地。

爱丽丝拿了钥匙想赶紧离开

屋子，她担心自己的头会顶破天花板。可是，爱丽丝又失望了，钥匙打开的小门小得连头都出不去，更不用说高大的身体了。

爱丽丝感觉谁在捉弄自己，忍不住又哭起来，泪水唰唰流下来，在地板上积成一个水塘，足有400英寸深。

这时，那只大白兔不知从哪里又钻出来，手里还拿着一把扇子。爱丽丝想求助大白兔，她怯生生地说："先生，麻烦你……"爱丽丝话没说完，大白兔就丢下扇子跑了。爱丽丝捡了扇子，一边扇一边自言自语："今天真是事事都奇怪。"

爱丽丝一边想一边摇扇子，她发现自己的手在变小，小得能戴进兔子的手套。她快步走到桌子旁，现在只有10英寸高了，是什么原因使她从巨人又变成小矮人呢？爱丽丝想到手中的扇子，她赶忙扔掉了扇子。

幸亏她很果断，要不然爱丽丝就变成一点点了。“真是危险

a ài lì sī shuō tā xiàn zài xiǎo qiǎo líng
啊！”爱丽丝说。她现在小巧玲

lóng wán quán kě yǐ tōng guò xiǎo mén zǒu jìn huā yuán
珑，完全可以通过小门走进花园，

kě xī xiǎo mén suǒ zhe yào shi zài bō li zhuō shang
可惜小门锁着，钥匙在玻璃桌上，

tā yòu gòu bù zháo le
她又够不着了。

ài lì sī yī shāng xīn huá dǎo zài yī chí
爱丽丝一伤心，滑倒在一池

yán shuǐ lǐ tā yǐ wéi shì hǎi shuǐ kě shì zhè lǐ
盐水里，她以为是海水，可是这里

méi yǒu hǎi àn tā míng bai le zhè shì lèi shuǐ
没有海岸。她明白了，这是泪水，

在她有300英寸时只哭了一阵子就流出了一池子水。

“我不能淹死在自己的泪水里。”爱丽丝想着今天发生的怪事，忽然听到不远处有什么东西在水中游动，她想看个明白，奋力游过去。

她以为水中是一头海象或是一只河马，可是令她失望的是，那是一只失足落水的小耗子。

爱丽丝对小耗子说：“喂，先生，你知道怎么能游出水塘吗？”

耗子只眨眼不说话。

爱丽丝认为耗子不懂英语，就改用法语说：“我的猫在哪里？”这是她法语课本中的第一句。

耗子从水中跳出来，吓得直发抖。

爱丽丝说：“对不起，我忘记了你不喜欢猫。”

“哪个耗子会喜欢猫？”耗子喊到。

爱丽丝无意冒犯了耗子，想用语言补救。她对耗子说：“你喜欢狗吗？我家附近有条毛皮深棕色，眼睛又黑又亮的狗，它一见耗子就狂吠。”“天哪，我又说了些什么？”爱丽丝捂住自己的嘴巴。

耗子气白了脸，转身游走了。水塘里只剩下爱丽丝了。她绝望了，只好自己朝前游。不知过了多久，终于游出水塘。爱丽丝孤

单地坐在地上，心里很难过。

这时，大白兔又跑过来，它嘴里嘀咕着："公爵夫人，公爵夫人！我的耳朵和胡子。"原来大白兔在找丢掉的扇子。

爱丽丝把扇子还给了大白兔。她又发现了一件怪事，一直困住自己的狭长的房子和小门都不见了。现在，她正徜徉在一片树林

里。她四处寻找，没有任何房子，只有一簇簇美丽的花朵。爱丽丝累了，坐在花丛里。

爱丽丝想到自己的家，那是一个温馨的小家园。每年春天一到，姐姐就领着爱丽丝给窗前的小花园松土、浇水、种花，还种向日葵。种子埋在土里要等几天才发芽。姐姐放学后就坐在院子里读书。爱丽丝心里着急，恨不能地下的种子一天就长出来。她趁姐姐不注意，扒开一粒种子上的土，看到小小的种子在地下已拱破了种子壳，只是没拱破土层。姐姐看到爱丽丝荒唐的举动，大声喊：“快把土埋上，种子受风就不

néng shēngzhǎng le
能生长了。”

xiàn zài ài lì sī shēn páng de huā duǒ kāi de
现在爱丽丝身旁的花朵开得
hěn càn làn dàn shì tā yī duǒ yě jiào bù shàng míng
很灿烂，但是她一朵也叫不上名
lái tā xiǎng děng yǒu jī huì bǎ zhè xiē huā yí dào
来。她想等有机会把这些花移到
yuàn zi lǐ ràng jiě jie zhī dào shì jiè shang hái yǒu
院子里，让姐姐知道，世界上还有
xǔ duō měi lì de huā duǒ
许多美丽的花朵。

不该伤害壁虎

爱丽丝又朝前走去，前面出现一所漂亮的小房子。门前挂着“大白兔”三个字。

爱丽丝知道，这是大白兔的家。她推门走进去，这是一间整洁的小屋子，靠窗户有一张桌子，桌子上放着扇子和手套。

爱丽丝拿了扇子和手套想离去，看见了一个玻璃瓶。她拿起玻璃瓶，想喝点东西，再使自己增高。爱丽丝喝了一口，奇迹发生了！她的头一下子触到天花板，差一点把脖子折断。她只好跪下来，然后又躺下。

爱丽丝无法控制自己的生长。她听姐姐说过，庄稼和花草夜里长得最快。夜深人静时，可以听到庄稼拔节的嚓嚓声，现在她能

tīng dào zì jǐ shēn tǐ shēngzhǎng de cā cā shēng měi
听到自己身体生长的嚓嚓声，，每
gè gǔ jié dōu zài fā chū shēng yīn tā xiǎng zì jǐ
个骨节都在发出声音。她想自己
de xīn kě néng yě zài zhǎng xīn tiào de dōng dōng gèng
的心可能也在长，心跳得咚咚更
xiǎng qí guài de shì zhēn duō ài lì sī shēn shang
响。奇怪的事真多，爱丽丝身上
de qún zi yě suí zhe shēn tǐ de shēngzhǎng zài zhǎng
的裙子也随着身体的生长在长，
yào bù rán qún zi fēi bèi shēn tǐ chēng pò bù kě
要不然裙子非被身体撑破不可。

ài lì sī tǎng zài dì shang sī xiǎng yī piàn
爱丽丝躺在地上，思想一片
kòng bái tā hòu huǐ zì jǐ hē le píng zi lǐ de
空白。她后悔自己喝了瓶子里的
dōng xi dàn shì hòu huǐ yǐ wǎn le xiàn zài zhǐ
东西。但是后悔已晚了，现在只
hǎo shùn qí zì rán le
好顺其自然了。

ài lì sī de gē bo hé tuǐ yǐ jing shēn chū
爱丽丝的胳膊和腿已经伸出
le chuāng wài yī zhī jiǎo gē zài le yān cōng shang xìng
了窗外，一只脚搁在了烟囱上。幸
kuī píng zi de mó lì yǒu xiàn tā cái tíng zhǐ le
亏瓶子的魔力有限，她才停止了
shēngzhǎng dàn shì xiàn zài tā yǐ wú fǎ lí kāi
生长。但是，现在她已无法离开
wū zi ài lì sī xīn li hěn ào nǎo
屋子。爱丽丝心里很懊恼。

bù jiǔ ài lì sī tīng dào yǒu rén lái le
不久，爱丽丝听到有人来了。

"玛丽·安，快把我的手套和扇子拿来！"大白兔说着走到门口，它用力推门，爱丽丝用身子顶住。大白兔自言自语说："门怎么推不开，我绕到窗口看看去。"

爱丽丝心想，"我不能让它看到我在里面。"她估计大白兔快到

窗前时，伸开一只手挡住窗户。爱丽丝的手现在出奇的大，她的手掌像一个大窗帘，把窗户挡得很严实。大白兔站在窗外，往里什么也看不见。它不知道窗户上挡着的是爱丽丝的手掌，心里很纳闷："这屋子里究竟发生了什么事情？"大白兔把脸使劲贴在玻

璃上，从爱丽丝手指缝向里张望。

爱丽丝的手掌太大也太重，她想移动一下手掌，挡住大白兔的视线。但是她刚一移动手掌，就觉得玻璃像雪花一样溶化了，险些把她的大手掌也一同溶化。

只听“哗啦”，“哐啷”，窗户玻璃被打碎了。大白兔惊叫到：“佩特，你快来看，窗户上有什么？”

“先生，是一只巨大的胳膊肘。”佩特说。

“那你去把它移开。”大白兔吩咐佩特。

“先生，我不敢去。”

“真是个胆小鬼。”

爱丽丝听着大白兔与佩特的

对话，又在窗户框上抓了一把，这次传来两声尖叫。窗户框“唏啦哐啷”破碎了。过了很长时间没有动静，后来爱丽丝听到有人推动小货车。大白兔对佩特和一些人说：找一些碎石瓦砾来，把这间屋子塞满，一点空地也不留下，窗口也要用木板钉严实。里面没有空气，谁也不能活下来。爱丽丝在屋里听得一清二楚，大白兔的想法真是太损了。爱丽丝移动了一下自己的手掌，把窗口尽量挡住。这时，人们已经往这里运碎石、瓦砾了。佩特把一块砖头从窗户缝投进来，正好砸在爱丽丝的头上。爱丽丝只好把手指并拢，

bù zài liú yī diǎn fèng xì
不再留一点缝隙。

dà bái tù bù gān xīn, tā ràng bié rén cóng yān cōng xià dào wū lǐ, kàn kàn wū li de guài wù jiū jìng shì shén me.
大白兔不甘心，它让别人从烟囱下到屋里，看看屋里的怪物究竟是什么。

dà bái tù zhǐ huī bié rén bān lái yī jià tī zi, tā duì bì hǔ xiǎo dì shuō: "chú le nǐ, méi yǒu rén néng cóng nà ge yān cōng li pá jìn qù."
大白兔指挥别人搬来一架梯子，它对壁虎小弟说："除了你，没有人能从那个烟囱里爬进去。"

ài lì sī xīn xiǎng, dà bái tù zhēn shì tài è dú le, jìng pài xiǎo bì hǔ pá yān cōng. xiàn zài, tā yǐ bù gù rèn hé-rén de qíng miàn le.
爱丽丝心想，大白兔真是太恶毒了，竟派小壁虎爬烟囱。现在，她已不顾任何人的情面了。

爱丽丝把脚伸进烟囱，她感觉有一个小动物爬上来，在她脚上又抓又挠，于是爱丽丝只轻轻一伸脚，便听到壁虎在尖叫：“唉呀，疼死我了！”

壁虎顺着烟囱摔下去，大概摔得四脚朝天。它一边哭一边埋怨大白兔不该让它去以卵击石，现在浑身伤痕累累。佩特一边安慰壁虎，一边帮大白兔想办法。其它的干将们也七嘴八舌出主意。有人说找铲车把这座房子铲掉，有人说找水笼头往里喷水，也有人说对里面的人喊话，让他自己出来。

大白兔想出了一个坏主意，

它让人们去找干柴和树枝，越多越好。把房子周围都围起来，点上火，把房子变成烤炉。

“把这间房子烧掉！”是大白兔的声音。

“不行！不行！”爱丽丝拼命地大叫。

过了几分钟，外面活动起来，“一车就够了。”又是大白兔的声音。

“一车什么？”爱丽丝紧张极了。她还没来得及多想，噼里啪啦的小卵石像冰雹一样从窗子外砸进来！有几块打在爱丽丝脸上，“住手！住手！”她拼命地大喊，奇怪，她注意到，小卵石掉在地上，立刻变成了小点心！

爱丽丝想，吃一块小点心，没准会让我的身体发生变化，我已经不能再变大，那就肯定会变小。

她吞下一块小点心，发现自己明显地变小了，等她缩得能够穿过房门，就飞快地跑出了这所房子。

那只可怜的壁虎还躺在地上，旁边两只豚鼠正扶着它的头，给它喂水喝。

爱丽丝一出现，马上遭到了围攻，她拼命地往林子里跑，跑呀，跑呀，终于摆脱了追兵。

一朵大蘑菇和毛毛虫

树林里很幽静，爱丽丝一边走一边找吃的东西。

她朝四周寻找，除了花草树叶，实在找不到一点食物。这时，她发现不远处有一朵和她身体差不多高的大蘑菇。她走近蘑菇，唉呀！蘑菇顶上坐着一只大毛毛虫，还叼着一只硕大的烟斗，悠闲自如地一口一口吸着水烟。毛毛虫对爱丽丝连眼皮也不抬。

ài lì sī dǎ liang zhe zhè zhī ào màn de máo
爱丽丝打量着这只傲慢的毛
máo chóng xīn li xiǎng nǐ yǒu shén me liǎo bu qǐ
毛虫，心里想：“你有什么了不起
de bù guò shì chūn tiān shēng qiū tiān sǐ lián dōng
的，不过是春天生，秋天死，连冬
tiān dōu méi jiàn guò de chóng zi ér yǐ
天都没见过的虫子而已。”

ài lì sī zhuāng zuò duì máo máo chóng shì ér bù
爱丽丝装作对毛毛虫视而不
jiàn wéi zhe dà mó gu zì yán zì yǔ hǎo dà
见，围着大蘑菇自言自语：“好大
de mó gu xiàng yī zhī dà yáng sǎn rú guǒ méi yǒu
的蘑菇，像一只大阳伞，如果没有
dú yī dìng shì měi wèi shí pǐn ài lì sī yòng
毒，一定是美味食品。”爱丽丝用
shǒu mō yī mō dà mó gu de biān yuán hěn guāng huá
手摸一摸大蘑菇的边缘，很光滑。

zǐ xì kàn kàn bái nèn de mó gu shang hái yǒu yī
仔细看看，白嫩的蘑菇上还有一
xiē xì xì de xiǎo huā diǎn dà zì rán zhēn shì gè
些细细的小花点。大自然真是个
mó shù shī néng biàn chū qiān qí bǎi tài de dòng zhí
魔术师，能变出千奇百态的动植
wù gōng rén men xīn shǎng hé shí yòng bù guò máo máo
物供人们欣赏和食用。不过毛毛
chóng bù néng chī tài ràng rén kàn zhe ě xīn
虫不能吃，太让人看着恶心。

ài lì sī xiǎng dào xiǎo shí hou tā hé nǎi
爱丽丝想到小时候，她和奶
nai bǎ yī zhī yǒng fàng jìn guàn zi li hòu lái yǒng
奶把一只蛹放进罐子里。后来蛹
biàn chéng le yī zhī měi lì de hú dié zài huā cóng
变成了一只美丽的蝴蝶，在花丛
zhōng fēi wǔ zhāo rě de hái zi men yòu zhuī yòu xiào
中飞舞，招惹得孩子们又追又笑。
kě shì hú dié shēng de hái zi què shì chǒu lòu de máo
可是蝴蝶生的孩子确是丑陋的毛
máo chóng hú dié mā ma duì shī wàng de hái zi men
毛虫，蝴蝶妈妈对失望的孩子们
shuō nǐ men jiāng lái yě huì biàn de hé wǒ yī yàng
说：“你们将来也会变得和我一样
měi lì hú dié mā ma shuō wán jiù sǐ qù le
美丽。”蝴蝶妈妈说完就死去了。
ài lì sī wèi nà zhī měi lì de hú dié mā ma shāng
爱丽丝为那只美丽的蝴蝶妈妈伤
xīn le hǎo yī zhèn
心了好一阵。

ài lì sī kàn kàn yǎn qián zhè zhī máo máo chóng
爱丽丝看看眼前这只毛毛虫，

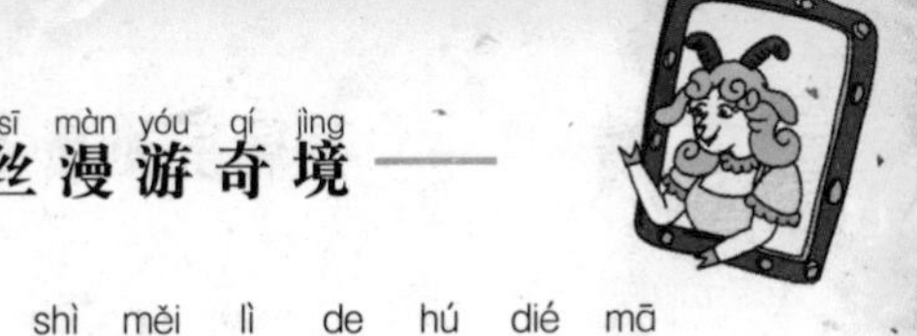

心想："它或许也是美丽的蝴蝶妈妈的孩子呢。"她久久凝望着在大蘑菇上端坐的毛毛虫，心里有了一些好感。爱丽丝又围着大蘑菇转了几圈，左看右看，试图引起毛

毛虫的注意。这里太寂静了。爱丽丝找不到第二个可以交谈的人。

毛毛虫真是个怪物，眼皮撩

也不撩。全当是身边没有人，自己叼着烟斗，仿佛思想飘出了很远。大概是在想它们上一代美丽的容颜，这一代丑陋的遗憾。

不知过了多久，毛毛虫似乎才发现，这里站着一个陌生人。

他停止吸烟，怪声怪气地问："你是谁呀？"

爱丽丝小声回答："我自己也不知道现在我是谁，从早晨起床

到现在，我变了好几次。”

毛毛虫对爱丽丝冷笑着说：“真是天下奇闻，自己反倒不认识自己。你必须解释清楚。”

爱丽丝很为难，她对毛毛虫耐心地说：“这件事只有你亲身经历才会弄懂，比如现在你是一只蛹，将来某一天你变成了一只蝴蝶，你就会明白我现在的困惑。”

爱丽丝说完，便想离开这个冷血动物。

“你回来，我有事要跟你商量。”毛毛虫在爱丽丝身后喊。

爱丽丝转回身，毛毛虫从嘴里拿开烟斗，慢条斯理说：“你感觉自己变化很大吗？”

“是这样的，我从前的事情都记不清了。连过去背诵得滚瓜烂熟的诗歌也记不起来了。而且，最苦恼的是我的身体变化无常。”

“你长多高才算顺心呢？”毛毛虫问爱丽丝。

“最好高一些，3英寸实在是太矮，我不习惯这么仰视一切。”爱丽丝说。

毛毛虫似乎有些同情爱丽丝，它从蘑菇上爬下来，爬上一片草叶。他对爱丽丝说：“吃蘑菇的这边让你长高，吃蘑菇的那边让你变矮。”

爱丽丝看着蘑菇，圆圆的像一只小伞，哪有这边那边之分。她

只好用胳膊围住蘑菇，两只手各摘了一片。她先吃了右手中的蘑菇，发现自己身体变小，又赶紧咬了一大口左手中的一片。爱丽丝很兴奋，自己要长高了。

可是，她的脖子像一条大蛇，伸到树枝上，一只鸽子从她面前飞过去，翅膀扑打着她的脸，对她

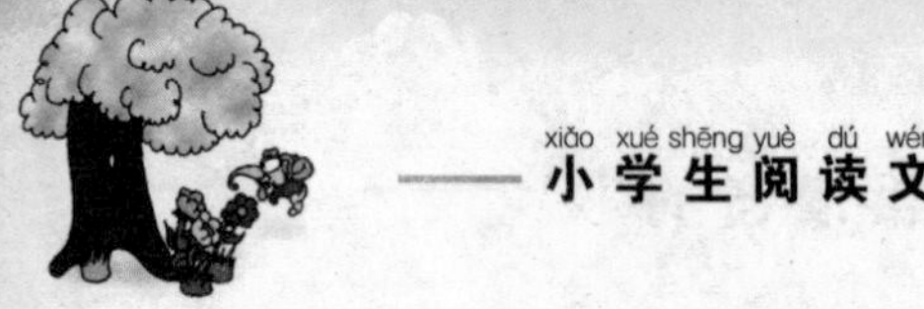

yòu hài pà yòu zēng hèn
又害怕又憎恨。

ài lì sī cóng xiǎo dào dà dōu shì zhāo rén xǐ
爱丽丝从小到大都是招人喜
ài de xiǎo gū niang cóng lái méi yǒu xiàng jīn tiān zhè
爱的小姑娘，从来没有像今天这
yàng lián gē zi yě tǎo yàn tā ài lì sī shì tú
样连鸽子也讨厌她。爱丽丝试图
bǎ zì jǐ de bó zi jìn lì suō huí lái ràng gē
把自己的脖子尽力缩回来，让鸽
zi kàn kàn tā de zhēn shí miàn mù dàn shì tā
子看看她的真实面目。但是，她
yuè yòng lì zài shù zhī shang chán rào de yuè xiàng shé
越用力，在树枝上缠绕得越像蛇。

gē zi tiào dào lìng yī gè shù zhī shang kòng
鸽子跳到另一个树枝上，控
sù shé jiā zú de lěi lěi zuì xíng gē zi shuō
诉蛇家族的累累罪行。鸽子说：

yǒu yī tiān wǒ de bà ba mā ma dào wài mian qù
“有一天，我的爸爸妈妈到外面去
zhuō chóng zi zhǔn bèi huí lái wèi xiǎo dì xiǎo mèi yī
捉虫子，准备回来喂小弟小妹。一
zhī dà shé pá jìn gē zi wō zhāng kāi dà zuǐ bǎ
只大蛇爬进鸽子窝，张开大嘴把
jǐ zhī hái méi zhǎng chū yǔ máo de xiǎo gē zi quán dōu
几只还没长出羽毛的小鸽子全都
chī jìn dù zi li rán hòu huǎn huǎn de pá zǒu le
吃进肚子里，然后缓缓地爬走了，
xìng kuī wǒ zhǎng chū le chì bǎng zài dà shé xiàng wǒ
幸亏我长出了翅膀，在大蛇向我
zhāng kāi dà kǒu shí fēi chū le jiā mén cóng nà yǐ
张开大口时飞出了家门。从那以
hòu wǒ men cái bān dào le sēn lín li xiǎng bù dào
后，我们才搬到了森林里，想不到
yòu zài zhè li yù jiàn le nǐ
又在这里遇见了你。”

ài lì sī hěn tóng qíng gē zi de zāo yù
爱丽丝很同情鸽子的遭遇，
tā zhī dào shé bù jǐn zhǎng de hěn xià rén ér qiě
她知道蛇不仅长得很吓人，而且
què shí yǐ chī yī xiē xiǎo niǎo lèi wéi shēng gē zi
确实以吃一些小鸟类为生。鸽子
hèn shé shì yǒu dào li de kě shì zěn me néng ràng
恨蛇是有道理的。可是怎么能让
zì jǐ yǔ shé qū bié kāi ne tā xǐ huan gē zi
自己与蛇区别开呢？她喜欢鸽子，
hěn xiǎng yǔ gē zi jiāo gè péng you zhè xiē tiān ài
很想与鸽子交个朋友。这些天爱
lì sī tài jì mò le tā xū yào yǔ péng you xiāng
丽丝太寂寞了，她需要与朋友相

处，相互交谈。

爱丽丝想对鸽子解释自己不是大蛇，而是一个美丽的小姑娘。可是鸽子根本不听，它认准只要有蛇脖子的就是蛇类，就是让它们昼夜不得安宁的东西。

爱丽丝很委屈，她对鸽子大喊："我真的不是吃鸟类的大蛇！"

"那么你吃蛋吗？"鸽子问。

爱丽丝是个诚实的孩子，她不会撒谎："是啊，我吃过蛋。"

鸽子气愤地说："这就对了，只要吃蛋就是大蛇，你快爬走，要不然我们是不会住在这里的。"

爱丽丝只好继续往前走，她难过极了，长长的脖子走到哪里

都会不受欢迎。小孩子看到她这个样子一定会吓哭。爱丽丝走得又困又累，长脖子老是让树枝给缠住。她忽然想起手中的小蘑菇片，吃一口或许能让她恢复原样。爱丽丝小心地咬了一口，嚼嚼咽下去。

奇迹发生了，爱丽丝的脖子

suō le huí qù tā yòu huī fù dào yuán lái de mú
缩了回去，她又恢复到原来的模

yàng tā xiǎng zhǎo dào gē zi ràng tā kàn yī kàn
样。她想找到鸽子，让它看一看

zì jǐ shì bù shì shé kě shì gē zi fēi zǒu le
自己是不是蛇，可是鸽子飞走了，

qián mian shì yī suǒ xiǎo fáng zi jiān dǐng shang piāo zhe
前面是一所小房子，尖顶上飘着

cǎi qí
彩旗。

猪娃和切舍猫

爱丽丝只好离开树林，她来到一所小房子前，小房子有2英尺高。爱丽丝只好又咬了一口右手中的蘑菇才变成9英寸，这样走进小房子的门口很合适。

仆人站在门口，手拿一个大信封砰砰地使劲敲门。门开了，走出同样打扮的仆人，他的脸大的吓人，眼睛鼓鼓的，好像一只大青蛙。

门外的仆人把信递过去，一本正经地说：“王后请公爵夫人参加槌球游戏，我来送请柬。”

爱丽丝感觉两人很滑稽，尤其是互相鞠躬的动作。

屋里传出砰砰的声音，爱丽丝走进去，看见公爵夫人站在正当中，怀里抱着一个哭闹的婴儿。火炉上煮着一锅汤，一个厨师使劲搅动着。椅子上有一只咧着嘴傻笑的猫。

爱丽丝问公爵夫人：“你的猫怎么这样笑？”

“这是一只切舍猫，”公爵夫人感觉爱丽丝冒犯了她，很不耐烦。然后又喊了一句：“猪娃。”

爱丽丝以为在骂自己“猪娃”，后来才看清是在骂公爵夫人怀里的孩子。

这时厨师不知为何，把铁铲、火钳、拨火棒一个一个扔起来，屋里像下冰雹。奇怪的是公爵夫人一点也不嗔怪。爱丽丝看孩子的鼻子险些被飞来的刀铲割去忍不住大喊起来。

爱丽丝指责公爵夫人是个不称职的母亲，连一只猫都不如。爱丽丝把孩子抱在怀里，如果公爵夫人不改过，她将把这个孩子带走，送到孤儿院。

公爵夫人对爱丽丝的指责毫不在意，自己对着镜子梳洗打扮。开始把头发披在肩上，然后又挽在头顶，脸上擦了一层粉，白得快要掉渣。爱丽丝心想：“一个没有责任感的母亲，打扮得再漂亮，心灵也不美。”

爱丽丝抱着小孩在屋里转，厨师照常胡乱做着饭，锅碗盆勺响成一团。小孩子困了，爱丽丝把他放在小床里，给他盖上被子。

公爵夫人看也不看，好像这个孩子与她无关。爱丽丝真弄不懂，这样的女人怎么会成为公爵夫人。

“我的发卡不见了，谁看到了？”公爵夫人尖叫着四处乱找。爱丽丝显然被当成了偷发卡的小

偷，公爵夫人把眼睛瞪圆看着爱丽丝。

“我没有拿你的发卡，我从来不用发卡。”爱丽丝说。

公爵夫人显然不信，她走到爱丽丝身边，想对爱丽丝搜身。爱丽丝反抗说："你这是侵犯人身权，我要起诉你。"

公爵夫人没有发现眼前这个小姑娘还懂法律而且很厉害，她只好罢休。厨师这时喊到："公爵夫人，发卡在菜汤锅里。"

厨师把发卡捞出来，幸亏是

金的，如果是塑料的早就煮化了。公爵夫人有些不好意思，她对爱丽丝说：“你喝菜汤吗？很有营养。”

爱丽丝摇摇头，她心想：“煮过发卡的菜汤能喝？”

公爵夫人对爱丽丝说：“你喜欢玩槌球游戏吗？很好玩。我每天吃过饭，穿戴整齐就去陪王后玩槌球游戏。你见过王后吗？她很有风度，就是脾气大了些。”

爱丽丝只想快离开这里，她一点也不喜欢公爵夫人，也不喜欢这个厨师。这时睡在小床上的孩子醒了，哭得很厉害。公爵夫人像是没听见，看也不看一眼，自己只顾换衣服。

ài lì sī rěn bù zhù shuō nǐ yào xiān guǎn
爱丽丝忍不住说：“你要先管
hái zi hòu guǎn zì jǐ
孩子，后管自己。”

gōng jué fū rén guài ài lì sī duō guǎn xián shì
公爵夫人怪爱丽丝多管闲事，
hái yīn yáng guài qì de shuō rú guǒ rén men shǎo guǎn
还阴阳怪气地说：“如果人们少管
bié rén de shì dì qiú huì zhuàn de gèng kuài
别人的事，地球会转得更快。”

ài lì sī xiǎng dì qiú zhuàn kuài le yī zhòu
爱丽丝想，地球转快了，一昼
yè jiù bù dào xiǎo shí bái tiān hēi yè dōu huì
夜就不到24小时，白天黑夜都会
biàn nà hǎo shén me ya
变，那好什么呀。

gōng jué fū rén jí zhe zhǎo wáng hòu wán chuí qiú
公爵夫人急着找王后玩槌球

yóu xì jiù bǎ hái zi rēng gěi le ài lì sī jiù
游戏，就把孩子扔给了爱丽丝，就
xiàng rēng pí qiú yī yàng ài lì sī jiē guò yīng ér
像扔皮球一样。爱丽丝接过婴儿，
dài tā zǒu jìn xiǎo shù lín tā zǐ xì duān xiáng zhe
带他走进小树林。她仔细端详着
yīng ér de zhǎng xiàng zhēn shì tài qí guài le tā zhǎng
婴儿的长相，真是太奇怪了，他长
zhe yī gè cháo tiān de bí zi huó xiàng zhū bí zi
着一个朝天的鼻子，活像猪鼻子，
yǎn xiǎo de xiàng dāo gē chū de liǎng tiáo fèng zuǐ li hái
眼小得像刀割出的两条缝，嘴里还
fā chū shuí yě tīng bù dǒng de guài shēng guài qì de shēng yīn
发出谁也听不懂的怪声怪气的声音。

ài lì sī xiǎng qǐ gōng jué fū rén wèi shén me
爱丽丝想起公爵夫人为什么
jiào tā zhū wá guǒ zhēn shì yī zhī zhū wá
叫他猪娃，果真是一只猪娃。

yī gè xiǎo nǚ hái dài yī gè hěn chǒu de
一个小女孩，带一个很丑的
zhū wá huí jiā rén men huì cháo xiào de yú shì
猪娃回家，人们会嘲笑的。于是，
ài lì sī yòu bǎ zhū wá sòng huí gěi gōng jué fū rén
爱丽丝又把猪娃送回给公爵夫人。

ài lì sī chóng huí yuán lù tā kàn jiàn yī
爱丽丝重回原路，她看见一
zhī qiē shě māo zhèng zuò zài shù zhī shang cháo tā liě zuǐ xiào
只切舍猫正坐在树枝上朝她咧嘴笑。

qǐng wèn wǒ gāi zǒu nǎ tiáo lù ài
“请问，我该走哪条路？”爱
lì sī shuō
丽丝说。

zhè yào kàn nǐ shàng nǎ qù qiē shě māo
“这要看你上哪去？”切舍猫
hěn zì xìn de shuō
很自信地说。

wǒ yě bù zhī dào jiū jìng dào nǎ li qù
“我也不知道究竟到哪里去。”
ài lì sī huí dá
爱丽丝回答。

nà jiù zhí jiē wǎng qián zǒu nǐ huì dào
“那就直接往前走，你会到
yī gè yǒu qù de dì fang nà li zhù zhe sān yuè
一个有趣的地方。那里住着三月
tù hé zhì mào rén nǐ kě yǐ suí biàn qù bài fǎng
兔和制帽人。你可以随便去拜访
tā men
他们。”

ài lì sī gāng yào zhào zhí cháo qián zǒu nà
爱丽丝刚要照直朝前走，那
zhī māo yòu wèn tā nǐ cóng gōng jué fū rén nà li
只猫又问她：“你从公爵夫人那里
lái nán dào méi yǒu péi wáng hòu wán chuí qiú yóu xì
来，难道没有陪王后玩槌球游戏？”

wǒ fēi cháng xiǎng wán chuí qiú yóu xì kě shì
“我非常想玩槌球游戏，可是
gōng jué fū rén bìng bù yāo qǐng wǒ cān jiā ài lì
公爵夫人并不邀请我参加。”爱丽
sī shuō
丝说。

nà me nǐ jiù bù rú wǒ xìng yùn le bù
“那么你就不如我幸运了，不
jiǔ nǐ jiāng zài sài chǎng shang kàn dào wǒ sān yuè tù
久你将在赛场上看到我、三月兔

hé zhì mào rén shuō wán māo jiù bù jiàn zōng yǐng le
和制帽人。”说完，猫就不见踪影了。

ài lì sī xiǎng zhì mào rén yǒu shén me kě
爱丽丝想，制帽人有什么可
kàn de dào shì sān yuè tù hái yǒu xiē shén mì
看的，倒是三月兔还有些神秘。

ài lì sī duì dà bái tù de suǒ zuò suǒ wéi
爱丽丝对大白兔的所做所为
hái yī zhí gěng gěng yú huái dà bái tù tài bù jiǎng
还一直耿耿于怀，大白兔太不讲
yǒu qíng zuò chū de shì qing bù jìn qíng lǐ yě
友情，做出的事情不近情理。也
xǔ sān yuè tù bù yī yàng sān yuè tù huì hěn wēn
许三月兔不一样，三月兔会很温
róu shàn jiě rén yì yīn wèi sān yuè tù shì zài
柔、善解人意。因为三月兔是在
chūn tiān chū shēng de chūn tiān chū shēng de rén hé dòng
春天出生的，春天出生的人和动

物性情中大多有春天的缠绵。

爱丽丝想去拜见三月兔，忽然切舍猫又出现在面前。它说：“也不知道公爵夫人的孩子怎么样？他真可怜。”

爱丽丝说：“他变成了一只猪娃。”

切舍猫很难过，它对爱丽丝说：“那个孩子真是不幸，遇到了公爵夫人这样的母亲。”说完切舍猫就走了。

爱丽丝心想：“世界太大了，什么样的人都有，什么样的母亲也都有。

拜见三月兔，需要准备一点小礼物。如果在家里这是不难做

到的，因为爱丽丝有很多好看或好玩的小物件。现在不一样了，

爱丽丝除了身上的裙子再没有其他东西。她真有些犯愁。

“有了，这些野菜三月兔一定喜欢吃，就挖些野菜送给三月兔。”爱丽丝一边自言自语，一边在田野里挖起野菜来。她在家时养过小兔子，那时虽然家里有很多白

菜、萝卜喂小兔，但是小兔子更爱吃爱丽丝和姐姐给它们挖来的野菜。

大约过了半小时，爱丽丝已经挖好了一草帽嫩绿的野菜，她

在河边洗去泥土，抖落干净水分，兴高彩烈去拜见三月兔。爱丽丝一路上猜想着三月兔的模样，但

是她猜不出三月兔与制帽人怎么会成为好朋友。

“小姑娘，这么鲜嫩的野菜去送给谁呀？”切舍猫站在爱丽丝面前。

“你怎么老是神出鬼没的？”爱丽丝对切舍猫说。

“我喜欢这样生活，因为我是一只独往独来的猫，不愿让别人掌握我的行踪。”切舍猫说。

“你能跟我去拜见三月兔吗？这些野菜是送给三月兔的。”爱丽丝说。

三月兔一定非常有趣。现在是五月，三月兔不会像它在三月时那么小。切舍猫决定和爱丽丝

一起去拜见三月兔，于是切舍猫在前面带路。

切舍猫很顽皮，它有时藏进草丛，有时又跳到树枝上，闹得爱丽丝眼花缭乱。爱丽丝装作生气不再理切舍猫，她自己抱着盛满野菜的草帽大步往前走。切舍猫看爱丽丝生气了，赶紧乖乖地跟在爱丽丝身后，它用四只脚迈步的节奏，模仿爱丽丝迈步的节奏，逗得爱丽丝笑起来。

爱丽丝对切舍猫说：“你们的祖先是不是生活在波斯，人们叫你们波斯猫？”

切舍猫说：“那是我们上一代的上一代的上一代的上一代的祖

先，至于我们，早已与欧洲许多猫的家族通婚，所以才叫切舍猫。”

爱丽丝说：“真想不到猫的家族还有这么深远的历史，看来人们应该尊重动物，不管是低等动物还是高等动物。”

切舍猫说：“我代表猫的家族向你致敬！我们快去拜见三月兔吧！”

制帽人和三月兔喝午茶

爱丽丝没走多远，就看见一所奇异的房子。房子上的烟囱像两只尖尖的兔子耳朵，房顶上盖着兔子皮。不用说，这就是三月兔的家。

想起自己的身材，爱丽丝怕吓着三月兔，她吃了一口左手中的蘑菇，把自己变成2英尺。这样，爱丽丝才有信心走进去。

院子里的树下有一张桌子，

zhuō zi shang bǎi zhe chá diǎn　sān yuè tù hé zhì mào
桌子上摆着茶点。三月兔和制帽
rén zhèng zuò zài zhuō páng hē zhe wǔ chá
人正坐在桌旁喝着午茶。

ài lì sī hěn yǒu lǐ mào de shàng qián dǎ zhāo
爱丽丝很有礼貌地上前打招
hu　sān yuè tù bù dàn bù qǐng ài lì sī hē
呼。三月兔不但不请爱丽丝喝
wǔ chá　hái rǎng dào　méi dì fang le　méi dì
午茶，还嚷到：“没地方了，没地
fang le
方了。”

zhuō zi qí shí hěn dà　tā zhè yàng shuō ràng
桌子其实很大，他这样说让
ài lì sī hěn shēng qì　tā gù yì zài zhì mào rén
爱丽丝很生气。她故意在制帽人
de duì miàn zuò xià lái
的对面坐下来。

qǐng hē diǎn chá ba　zhì mào rén hái bǐ jiào kè qì
“请喝点茶吧。”制帽人还比较客气。

ài lì sī kàn kàn zhuō shang　chú le qīng chá méi yǒu qí tā shí wù
爱丽丝看看桌上，除了清茶没有其他食物。

nǐ de tóu fa yīng gāi jiǎn duǎn　zhì mào rén duì ài lì sī pǐn tóu lùn zú de shuō
“你的头发应该剪短。”制帽人对爱丽丝品头论足地说。

ài lì sī shén qíng yán sù de shuō　bù yào gān shè rén jia de sī shì　zhè yàng bù gòu dǒng shì
爱丽丝神情严肃地说：“不要干涉人家的私事，这样不够懂事。”

nà me wǒ men cāi mí yǔ　shén me niǎo xiàng shū zhuō　zhì mào rén shuō
“那么我们猜谜语，什么鸟像书桌？”制帽人说。

爱丽丝很爱猜谜语，并且，她觉着这个谜语太简单。

三月兔在旁边催爱丽丝快说出谜底。

爱丽丝一时说不出谜底，但是三月兔一再追问。爱丽丝只好说：“我饿了，想吃点黄油和面包。”

制帽人对爱丽丝说：“你还不知道现在是几点。”这时他掏出一块怀表，放在耳边听着说：“慢了两天。”

爱丽丝心想：“这里永远是两点，吃午茶的时间。

三月兔告诉爱丽丝说：“要和时间搞好关系，它会帮助你。如果你想现在上课，就悄悄跟它打

gè zhāo hu shí zhēn jiù huì zhuàn dòng dào xià wǔ yī
个招呼，时针就会转动到下午一
diǎn bàn nǐ jiù kě yǐ suí xīn suǒ yù ān pái shì qing
点半，你就可以随心所欲安排事情。

ài lì sī bèi sān yuè tù de huà shuō dé mò
爱丽丝被三月兔的话说得莫
míng qí miào shí jiān zěn me néng suí xīn suǒ yù
明其妙。时间怎么能随心所欲
ne rú guǒ zhēn shì zhè yàng jiù méi yǒu shí jiān le
呢？如果真是这样就没有时间了，
shēng mìng yě jiù wú shǐ wú zhōng le rén xiǎng huó duō
生命也就无始无终了，人想活多
jiǔ zhǐ yào bǎ shí jiān gù dìng zài mǒu yī diǎn jiù kě
久只要把时间固定在某一点就可
yǐ le
以了。

sān yuè tù jiàn ài lì sī zài shí jiān shang yǒng
三月兔见爱丽丝在时间上永
yuǎn zhuàn bù guò wān lái xīn li àn zì fā xiào
远转不过弯来，心里暗自发笑。
tā duì ài lì sī shuō zán men zàn qiě bù tǎo lùn
它对爱丽丝说：“咱们暂且不讨论
zhè ge wèn tí le dà jiā yī kuài pǐn cháng nǐ dài
这个问题了，大家一块品尝你带
lái de yě cài bā
来的野菜吧。”

ài lì sī tīng le hěn gāo xìng tā bǎ xiān
爱丽丝听了很高兴，她把鲜
nèn de yě cài fàng zài zhuō zi shang qǐng sān yuè tù
嫩的野菜放在桌子上，请三月兔、
zhì mào rén shuì shǔ hé qiē shě māo yī qǐ pǐn cháng
制帽人、睡鼠和切舍猫一起品尝。

zhì mào rén shǒu tuō zhe yī bēi chá yáo yáo tóu shuō
制帽人手托着一杯茶摇摇头说：
wǒ cóng lái bù chī yě cài qiē shě māo hé shuì
“我从来不吃野菜。”切舍猫和睡
shǔ miǎn qiǎng cháng le yī diǎn zhǐ yǒu sān yuè tù chī
鼠勉强尝了一点，只有三月兔吃
de zuì xiāng
得最香。

sān yuè tù yī biān chī yī biān shuō hǎo jiǔ
三月兔一边吃一边说：“好久
méi yǒu chī dào zhè me xiān nèn de yě cài le zhēn
没有吃到这么鲜嫩的野菜了，真
de shì lǜ sè shí pǐn chī le yǒu yì jiàn kāng cháng shòu
的是绿色食品，吃了有益健康长寿。”

shuō qǐ jiàn kāng cháng shòu zhì mào rén yòu dǎ kāi
说起健康长寿制帽人又打开
le huà xiá zi tā shuō jiàn kāng hǎo cháng shòu jiù
了话匣子。他说健康好，长寿就

不一定好。比如这只睡鼠一天只知睡觉，活一年和一百年一样，长寿就是长睡，长寿又有什么用呢？

睡鼠听了制帽人的话有些生气，它睡眼朦胧地反驳制帽人：“你每天托着一杯茶扯闲篇，一顶新式帽子也做不出来。活一天跟活一百年一个样，就是喝茶，长寿就是长喝茶，你能比我好哪去？”

制帽人被睡鼠说得很不好意

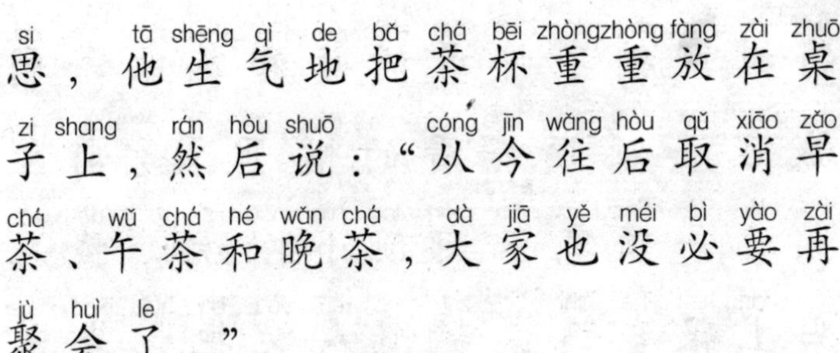

思，他生气地把茶杯重重放在桌子上，然后说：“从今往后取消早茶、午茶和晚茶，大家也没必要再聚会了。”

三月兔和切舍猫见制帽人生气了，赶忙出来打圆场。它们说：“觉要睡，茶要喝，事要做，这样生命才有意义。”爱丽丝也随着点头安慰制帽人。

制帽人心情好多了，他从怀里掏出那块怀表摆弄了一下后交给三月兔，他说：“把时间调到上午八点半，我开始工作，给每个人做一点好事，就是制一顶美丽的帽子。”

三月兔把表调到上午八点半时，制帽人开始工作。他从周围

的树上摘了许多树叶和花朵，制成了一顶顶好看的帽子。爱丽丝挑了一顶宽沿圆顶小帽子，戴在头上很合适。制帽人又把怀表送给爱丽丝。爱丽丝看着可以随意调换时间的表很高兴。

“这可真是棒极了，我们可以自己掌握时间。”爱丽丝说。

“我们换个话题，请这位小姑娘讲个故事。”三月兔说。

“对不起，我不会讲故事。”爱丽丝为难地说。

“我们请睡鼠来讲。”三月兔扯起睡在桌子下的睡鼠的耳朵。睡鼠迷迷糊糊地讲：“从前有三个小姑娘，她们是亲姐妹，都爱吃糖

jiāng tā men zhù zài yī kǒu jǐng li jiù kào tōu chī
浆，她们住在一口井里，就靠偷吃
táng jiāng shēng huó méi shuō wán shuì shǔ jiù yòu shuì
糖浆生活。”没说完，睡鼠就又睡
zháo le zhì mào rén shǐ jìn chě tā de ěr duo
着了。制帽人使劲扯它的耳朵，
téng de tā zhí jiào
疼得它直叫。

ài lì sī jué zhe wú liáo jiù lí kāi tā
爱丽丝觉着无聊，就离开他
men cháo shù lín zǒu qù tā kàn jiàn yī kē cū zhuàng
们朝树林走去。她看见一棵粗壮

de shù gàn shang yǒu yī shàn mén wèi shén me bù
的树干上有一扇门。“为什么不
jìn qù kàn kàn ài lì sī xiǎng
进去看看”爱丽丝想。

tā tuī kāi shù gàn shang de xiǎo mén fā xiàn
她推开树干上的小门，发现

她又回到了有小玻璃桌的房间里。“这次，可不会像上次那么蠢了。”爱丽丝从桌子上拿起小金钥匙，打开通往花园的门。然后又吃了一小片蘑菇，把自己缩小到差不多1英尺高时，她顺利穿过小门，走进了一个美丽的花园。哇！里面有很多绿树和鲜花，还有清凉的喷泉。

参加王后的游戏

huā yuán lǐ zhǎng zhe yī cóng cóng mào shèng de méi
花园里长着一丛丛茂盛的玫
guī shàng mian kāi zhe xuě bái de huā duǒ jǐ gè
瑰，上面开着雪白的花朵。几个
yuán dīng chóu méi kǔ liǎn de bǎ bái huā rǎn chéng hóng
园丁愁眉苦脸地把白花染成红
sè tā men de yī zhuó hé dǎ ban xiàng yī zhāng zhāng
色。他们的衣着和打扮像一张张
pū kè pái
扑克牌。

nǐ men zài chuàng zào shén me qí jì ya
“你们在创造什么奇迹呀？”
ài lì sī hào qí de wèn tā men
爱丽丝好奇地问他们。

hēi táo mú yàng de rén shuō nǐ bù zhī
黑桃K模样的人说：“你不知
dào wáng hòu xǐ huan hóng méi guī rú guǒ tā bù jiǔ
道，王后喜欢红玫瑰，如果她不久
dà jià guāng lín fā xiàn guó zhōng kāi zhe bái méi guī
大驾光临，发现国中开着白玫瑰

花，就要砍我们的头。”

正说着，就听有人喊：“王后驾到！”

几个园丁吓得把脸贴在地上。爱丽丝看见走过来一支扑克牌组成的队伍。王室成员是红桃，其余的人分别是黑桃、方片和梅花家族。

这时，爱丽丝在队伍中发现了那只大白兔，它一副重任在身的样子，对大家说话前先笑一笑。走在队伍最后的是红桃国王和王后。

国王和王后打量着爱丽丝，王后问她：“你是谁家的孩子？”

“幸会陛下，我叫爱丽丝。”

“这几个人是谁，把他们从地

下翻过来。”

这几个园丁被人们小心翼翼翻过来，他们赶紧站起来，向国王和王后问好。

王后突然发现园子里没染完的白玫瑰，她暴怒地喊：“砍掉他们的头！”士兵们把园丁们拉走了。

王后转回身对爱丽丝说：“你玩槌球游戏吗？”

爱丽丝不敢不服从，她跟在队伍里往前走。

爱丽丝一边走一边问大白兔：“公爵夫人在哪里？”

大白兔小声说：“在监狱里，因为她无意得罪了王后。”

王后停下来，大声吆喝：“槌球开始！”所有人跑来跑去。

球场坑洼不平，球是扎手的活刺猬，槌是活红鹤，士兵们弯下身子，手脚着地就是球门。

人们乱追乱跑，而且争吵不停。这是爱丽丝平生看到的最奇怪的游戏。

一副扑克片上的人全都在球场上乱跑，时而你被推倒，时而

他被掀翻。如果是红桃王国家族的人被撞倒，其他家族的人立即跑过来相助或道歉。如果黑桃、梅花、方片家族的成员摔倒，就只好自己爬起来了。

爱丽丝心想："平时玩扑克片，指定哪个家族为王就是哪个家族，可没有永远规定红桃家族是王室贵族。"

爱丽丝刚想离开槌球场，忽

rán kàn dào qiú chǎngshang de rén chǎo le qǐ lái rén
然看到球场上的人吵了起来，人

men luàn chéng le yī tuán hēi táo jiā zú de rén pái
们乱成了一团。黑桃家族的人排

chéng yī duì bèi méi huā jiā zú de yī duì rén yǎng
成一队，被梅花家族的一队人仰

miàn tuī dǎo hēi táo jiā zú de rén yī gè yī gè
面推倒。黑桃家族的人一个一个

fān shēn pá qǐ lái yòu bǎ méi huā jiā zú de rén
翻身爬起来，又把梅花家族的人

yī gè gè tuī dǎo fāng piàn jiā zú de rén zhàn zài
一个个推倒。方片家族的人站在

yī páng kàn rè nao ài lì sī xiǎng qù quàn zǔ
一旁看热闹。爱丽丝想去劝阻，

dàn shì tā gāng yī jìn chuí qiú chǎng jiù bèi hēi táo hé
但是她刚一进槌球场就被黑桃和

méi huā liǎng gè jiā zú rén tuán tuán wéi zhù rén men
梅花两个家族人团团围住。人们
qī zuǐ bā shé shuō qǐng zhè wèi xiǎo gū niang dāng cái
七嘴八舌说：“请这位小姑娘当裁
pàn kàn kàn shì hēi táo jiā zú hái shì méi huā jiā
判，看看是黑桃家族还是梅花家
zú de rén gāi jìn jiān yù
族的人该进监狱。”

tīng dào rén men de zhēng chǎo wáng hòu hěn shēng
听到人们的争吵，王后很生
qì tā měi gé yī duàn shí jiān jiù yào nù qì chōng
气。她每隔一段时间就要怒气冲
chōng de duò zhe jiǎo dà hǎn kǎn diào tā men de tóu
冲地跺着脚大喊：“砍掉他们的头！”

ài lì sī xià de dǎn zhàn xīn jīng tā bù
爱丽丝吓得胆战心惊，她不
zhī dào shén me shí hou dé zuì le guó wáng hé wáng hòu
知道什么时候得罪了国王和王后，
è yùn jiàng lín zài zì jǐ tóu shang tā sì chù guān
恶运降临在自己头上。她四处观
wàng xiǎng zhǎo jī huì táo zǒu
望，想找机会逃走。

zhè shí qiē shě māo bù zhī zěn me lái le
这时，切舍猫不知怎么来了，
ài lì sī hěn gāo xìng yǒu gè péng you néng shuō shuō xīn
爱丽丝很高兴有个朋友能说说心
lǐ huà tā bǎ bǐ sài de shì gào su le qiē shě māo
里话。她把比赛的事告诉了切舍猫。

nǐ zài gēn shuí shuō huà guó wáng zǒu guò
“你在跟谁说话？”国王走过
lái wèn ài lì sī
来问爱丽丝。

“是我的朋友，一只切舍猫。”

“它怎么长成这个怪样子，很不招人喜欢。”国王说。

爱丽丝对国王说：“您作为一个国家元首，不能以貌取人。切舍猫虽然长得不是很漂亮，但它是一只有波斯血统的猫。它很聪明，也很善良，凡是跟它相处长的

朋友都喜欢它。

国王看着爱丽丝，眼皮向上翻动了几下，表示相信了爱丽丝的话。国王对切舍猫的态度变得客气多了。他让侍从端来一杯茶给爱丽丝，又让侍从给切舍猫倒来一杯茶。切舍猫受宠并不惊，它对国王说自己从来不喝茶。

“那么你吃冰激凌吗？”国王问切舍猫。

“我不吃冰激凌，那是小姑娘爱丽丝爱吃的食物。”

国王让侍从给爱丽丝端来盘冰激凌，爱丽丝口正渴，她谢过国王和切舍猫，很高兴地吃起来。

国王又看了一眼切舍猫，他

说："你可以吻我的手。"

切舍猫很不领情地说："我才不这样做呢。"

国王恼羞地说："王后，这里有一只讨厌的猫，对咱们很不恭敬。我希望它尽快离开。"

王后连看也不看就说："叫执行官来，砍掉它的脑袋。"

爱丽丝想办法阻止王后，她说："这只猫是公爵夫人的，要杀它必须经公爵夫人同意。"

王后派人把公爵夫人从监狱带出来，这时那只聪明的猫早就消失了。

公爵夫人再次见到爱丽丝已没有当初的粗暴，她对爱丽丝热情拥抱。

假海龟的丰富经历

公爵夫人的改变使爱丽丝非常高兴，她心里想："上次在厨房，也许是辛辣的胡椒面使她变得那样不近人情。"

"亲爱的爱丽丝，你想什么呢？"公爵夫人凑过来，亲热地挽着她的手臂。其实爱丽丝并不喜欢公爵夫人，因为一方面她长得极其丑陋，另一方面她总用下巴抵住爱丽丝的肩膀。

gōng jué fū rén zì yán zì yǔ dào jīn tiān
公爵夫人自言自语道："今天
zhè jiàn shì zhēn shì gè jiào xun wǒ zhǐ xiǎng gào su
这件事真是个教训，我只想告诉
nǐ wáng hòu zhè ge rén
你，王后这个人……"

gōng jué fū rén tū rán zhǐ zhù le ài lì
公爵夫人突然止住了，爱丽
sī huí tóu yī kàn wáng hòu zhàn zài tā men shēn hòu
丝回头一看，王后站在她们身后，
yī fù nù bù kě è de yàng zi tīng zhe
一副怒不可遏的样子。"听着！
wǒ jǐng gào nǐ gǎn jǐn lí kāi wáng hòu jī hū
我警告你，赶紧离开。"王后几乎
shì zài shī zi hǒu
是在"狮子吼"。

zhè shí de gōng jué fū rén xiàngshuāng dǎ de guā
这时的公爵夫人像霜打得瓜
guǒ huī liū liū de zǒu le ài lì sī kàn zhe gōng
果灰溜溜地走了。爱丽丝看着公

爵夫人的背影心里在发颤。

王后转身安慰爱丽丝：“不碍你的事，走，我们打球去。爱丽丝跟着王后来到球场。

球赛一直没停，王后只要与人争吵就大喊大叫：“砍掉他的脑袋！”被判决的人被士兵看管起来，球场上剩的人越来越少。

球场上最后只剩下国王、王后和爱丽丝的时候，王后已累得喘不上气来。她对爱丽丝说：“你见过假海龟吗？”

“没见过。”爱丽丝如实回答。

“那么跟我来。”王后说。

看见那些被判决的人还站在球场边上，王后对士兵说：“都赦

免了。”

爱丽丝看见人们重新获得自由，心里很高兴。

狮身鹰头的怪兽格瑞芬正在阳光下睡懒觉，王后把它喊起来，让它带爱丽丝去看假海龟。

格瑞芬揉揉眼睛，望着王后的背影一阵大笑。它对爱丽丝说：“别看王后整天喊砍下谁的头，其实她一个人也没杀过。”

爱丽丝跟着格瑞芬往前走，远远就看到一只假海龟，孤零零坐在礁石上。走近以后，爱丽丝见它长吁短叹，眼里含着泪水，好像很伤心的样子。

格瑞芬对假海龟说：“把你的

jīng lì gào su zhè wèi gū niang
经历告诉这位姑娘。”

guò le yī zhèn zi, jiǎ hǎi guī cái kāi kǒu:
过了一阵子，假海龟才开口：

wǒ shì yī zhī zhēn hǎi guī, wǒ dào dà hǎi shang de
“我是一只真海龟，我到大海上的

xué xiào shàng xué, wǒ de lǎo shī bó xué duō cái, gěi
学校上学，我的老师博学多才，给

le wǒ liáng hǎo de jiào yù
了我良好的教育。”

ài lì sī shuō: nǐ men zài xué xiào dōu xué
爱丽丝说：“你们在学校都学

le shén me kè chéng? yǒu chú le yóu yǒng zhī wài de
了什么课程？有除了游泳之外的

tǐ néng qiáng huà xùn liàn ma
体能强化训练吗？”

jiǎ hǎi guī shuō: yǒu, wǒ men měi tiān dōu
假海龟说：“有，我们每天都

yǒu tiě rén wǔ xiàng quán néng xùn liàn. wǒ zuì pà shā
有铁人五项全能训练。我最怕沙

tān jìng zǒu, wǒ de sì tiáo tuǐ yuè shì yòng lì dēng
滩竞走，我的四条腿越是用力蹬

沙子，身体越是向后退。每前进一米，我就要后退半米。沙滩竞走结束后，我浑身像散了架，潜进水里再也不想登陆。”

爱丽丝看着眼前的假海龟，真想不到它也有丰富的经历。爱丽丝对假海龟说：“铁人五项全能训练使你长进最大的是什么？”

“当然是横渡直布罗坨海峡

le guò qù wǒ lián xiǎng dōu bù gǎn xiǎng de shì qing
了，过去我连想都不敢想的事情，
zuì hòu zhōng yú chéng wéi le xiàn shí wǒ chéng wéi dì
最后终于成为了现实。我成为第
yī gè wán chéng le cǐ xiàng zhuàng jǔ de hǎi guī shí
一个完成了此项壮举的海龟时，
wǒ de yǎn lǐ yǒng chū le rè lèi nǐ zhī dào
我的眼里涌出了热泪。你知道，
zài dà hǎi zhōng wǒ men hǎi guī jiā zú shì bèi chēng
在大海中，我们海龟家族是被称
wéi lǎn duò jiā zú de zhǐ yǒu wǒ men zì jǐ zhī
为懒惰家族的。只有我们自己知
dào wǒ men shì yǐ jìng zhì dòng yǐ jìng huàn qǔ cháng
道，我们是以静制动，以静换取长
shòu nà cì héng dù zhí bù luó tuó hǎi xiá jiǎn
寿。那次横渡直布罗坨海峡，简
zhí shì xiàng shì jiè xuān bù hǎi guī jiā zú bù shì
直是向世界宣布：海龟家族不是
děng xián zhī bèi wǒ men yě néng chuàng zào qí jì
等闲之辈，我们也能创造奇迹。”

jiǎ hǎi guī yòu gào su ài lì sī tā jiù
假海龟又告诉爱丽丝，它就
dú de xué xiào shì yī suǒ yǒu míng de sī lì xué xiào
读的学校是一所有名的私立学校，
lǎo shī dōu shì yī xiē yǒu tè shū běn lǐng de rén
老师都是一些有特殊本领的人。
xué xiào lǐ chú le hǎi guī hái yǒu yú xiā xiè
学校里除了海龟还有鱼、虾、蟹、
děng xué sheng lǎo shī zuì qì zhòng de dāng rán hái shì
等学生，老师最器重的当然还是
hǎi guī
海龟。

爱丽丝问假海龟："鱼、虾、蟹和你们在一起上课，如果你肚子饿了，是不是抓过一只虾就吃下去？"

假海龟说："那可不行，学校人人平等，不存在弱肉强食，就是大鲨鱼在学校也不能横行霸道以强欺弱。海龟家族最本份，最遵守纪律。"

爱丽丝请假海龟唱首歌，假海龟想了想就唱起来：

大海宽广是我家，
我家祖辈飘海涯。
到过非洲好望角，
横渡直布罗坨海峡。
太平洋上看日出，

大西洋上送晚霞。
私立学校长见识，
大风大浪不惧怕。

爱丽丝说："别太骄傲，我们也上过私立学校。"

"你们有什么特殊课堂或课程吗？"假海龟问爱丽丝。

"有，我们学法语和音乐。"爱丽丝说。

假海龟说："这太一般了。我

们可以选修消遣，学习丑化呀，嘲笑呀，还学伸展肢体。还有老师教大笑和悲痛。

“这确实很有趣！”爱丽丝羡慕地说。

格瑞芬说：“海龟的经历很丰富了，还是让爱丽丝讲讲自己的故事！”

爱丽丝就从早晨开始给它们讲起来。

爱丽丝把从看见大白兔开始，讲到自己怎么样进洞里，又怎么哭出一塘水来，后来一时变大一时又变小，一直讲到跟王后来玩槌球游戏为止。

格瑞芬坐在假海龟身边，它

们听得很入迷，瞪大眼睛，张着嘴巴，还不时提问题。

这时假海龟觉着自己的经历已经太平凡了，还是爱丽丝遇到的事情好玩，它提出给大家唱一首歌，是关于汤的歌：

盛进大碗，热气腾腾一片香！

这样的鲜汤，谁不赞扬，谁不夸讲，

请远来的朋友先喝美味鲜汤。

爱丽丝和格瑞芬没有听完假海龟的歌就跑回来。他们看见国王和王后威严地坐在宝座上，周围是一群禽兽和一支扑克牌的侍卫队。

一个叫红桃杰克的人被五花大绑，推上审判席。大白兔手拿扩音器和卷宗，俨然是个审判官。

屋子中间放着一张桌子，上面有一大盘水果馅饼，爱丽丝看

着色香味诱人的馅饼感到很饥饿。

审判还没有开始，审判员们拿着笔在各自的卷宗上写写划划。

这时，大白兔高声喊：“大家停止讲话，审判马上开始。”

国王戴上花镜，很严厉地朝人群扫视一遍。然后命令执行官宣读罪行。

大白兔清了清嗓子，然后打

kāi juàn zōng xuān dú zài jīn nián xià tiān hóng táo
开卷宗宣读："在今年夏天，红桃
wáng hòu zuò le yī pán shuǐ guǒ xiàn bǐng bèi hóng táo
王后做了一盘水果馅饼，被红桃
jié kè tōu zǒu rán hòu tōu tōu chī diào
杰克偷走，然后偷偷吃掉。"

qǐng dì yī zhèng rén chū tíng zuò zhèng guó
"请第一证人出庭作证。"国
wáng hǎn
王喊。

dà bái tù yòng zuǐ chuī le chuī kuò yīn qì
大白兔用嘴吹了吹扩音器，
gāo shēng xuān bù chuán dì yī zhèng rén
高声宣布："传第一证人！"

dì yī zhèng rén shì zhì mào rén tā yī fù
第一证人是制帽人，他一副
bù yǐ wéi rán de yàng zi
不以为然的样子。

制帽人近来正制做各式各样的帽子，所以满脑子都是关于帽子的想法。当他听说要出庭作证时，就问国王："你对我做的帽子不满意吗？如果是这样，我可以给你再做一顶，再做一顶，再做一顶，直到你满意为止。"

国王很生气，他让制帽人把一摞帽子全部拿回去，出庭为偷馅饼的人作证。

制帽人像是刚听明白国王和审判长的话，他慌忙把帽子收起来，抱在怀里，抱回自己的住处。大白兔在后面催促制帽人："快去快回，审判等一下接着进行。"

制帽人抱着一摞帽子摔了个

跤，帽子滚落了一地，他只好一顶一顶捡起来，戴在自己头上。国王被制帽人的滑稽像逗得前仰后合。

不久制帽人回来了，他一手端着茶杯，一手拿着面包沾黄油。他说：“请您原谅，我带这些东西进入法庭，因为我还没用完早茶。”

三月兔和睡鼠也陪制帽人来了，他们听见国王对制帽人严厉地说：“摘下帽子。”

“帽子不是我的。”制帽人说。

“那一定是你偷的，记下来，一起审判。”

“不，亲爱的国王，我的帽子是要卖的”制帽人申辩。

“那么快说你的证词，不然的

huà nǐ yě yī qǐ shòu dào zhèng fǎ
话你也一起受到正法。”

zhì mào rén xià bái le liǎn, huāng luàn zhōng bǎ
制帽人吓白了脸，慌乱中把
chá bēi dāng chéng miàn bāo yǎo xià yī kuài. tā xīn jīng
茶杯当成面包咬下一块。他心惊
dǎn zhàn de shuō: guó wáng bì xià, wǒ shì gè shòu
胆战地说：“国王陛下，我是个受
kǔ rén, cóng lái bù gǎn jiǎng jiǎ huà.
苦人，从来不敢讲假话。”

zhè shí, ài lì sī gǎn jué zì jǐ shēn tǐ
这时，爱丽丝感觉自己身体
yòu zài biàn huà.
又在变化。

爱丽丝又变得又高又大，把别人的坐位都挤占了。睡鼠很不高兴地走开了。

制帽人开始提供证词，但是他云山雾罩的，别人根本听不懂。国王很是生气，他喊到：“如果不把事情经过说清楚，我就要你的命！”

制帽人吓坏了，手里的杯子和面包都掉在地上。他真记不得事情的经过了，只好苦苦哀求国王。

王后在一旁很不耐烦，她刚想说：“把这个拙嘴笨舌的人拉出去砍头。”可是一看人群中，制帽人早就不见了。

国王只好传唤第二个证人。

第二个证人是公爵夫人。她

手里攥着一把胡椒，一边走路一

边打喷涕。国王想：“此人比制帽人更难对付。”

王后见公爵夫人不以为然，就想杀鸡给猴看。她说：“把那只睡鼠拉出去砍头，把它的胡须拔掉。”

shuì shǔ bèi yā xià qù fǎ tíng lǐ yī zhèn
睡鼠被押下去，法庭里一阵
sāo luàn guó wáng hǎn dào qǐng dà jiā sù jìng
骚乱。国王喊到："请大家肃静，
chuán huàn xià yī gè zhèng rén
传唤下一个证人。"

dà bái tù fān kāi juàn zōng yòng yòu jiān yòu
大白兔翻开卷宗，用又尖又
xì de sǎng yīn hǎn dào xià yī gè zhèng rén
细的嗓音喊到："下一个证人——
ài lì sī chū tíng
爱丽丝出庭！"

ài lì sī tīng dào hǎn zì jǐ de míng zi xià
爱丽丝听到喊自己的名字吓

了一跳。公爵夫人却幸灾乐祸地说："早就该找她当证人。"

爱丽丝真不明白，国王和王后为什么把公爵夫人放过而要找她。她现在已忘记了自己的身高，一起身裙子的下摆就把审判席上的一排人给掀翻了。

审判员们摔得四脚朝天，鼻青脸肿。有的在地上摸眼镜，有的互相抱怨。爱丽丝想说："对不起。"但是她在审判席前一个人也找不到，地上躺着的，趴着的全是鸭、鹅、四脚蛇等。

国王非常生气，他命令爱丽丝把一切都恢复原状，否则就要受到处罚。

爱丽丝小心地挪动自己的身体，把审判员们一个个扶起来。她看见一只蜥蜴，肚皮朝上，翘着头，四脚乱登，就是翻不过身来。

爱丽丝走近，用脚一掀，把蜥蜴翻过来，她想，其实蜥蜴身体翻不番正都不会影响在审判中的作用。

等审判员们各就各位，审判

又重新开始。它们的工作照样很认真，只有蜥蜴找不到刚开始的神圣感了，它望着天花板心里很沮丧。

爱丽丝走上证人席，可是她一点也不知道事情的经过，总不能胡乱栽赃给杰克呀。

国王毫不客气地对爱丽丝说：“远道而来的小姑娘，快把你看到杰克偷馅饼的经过都说出来。”

“我什么也没看见。”爱丽丝语气平静地说。

爱丽丝还想把自己变大变小的事情说给大家，可是被大白兔尖细的声音打断了。“快看，这里有新的证据。”

大白兔举着一个信封，信封上是杰克的笔迹。

国王让大白兔打开信封，信纸上写的是一首诗，落款没有签名。

“陛下，这不是我写的，上面没有我的名字。”杰克辩解道。

“你一贯搞恶作剧，当然不会签自己的名字了。”国王的话深得审判员们的赞许。

王后忍不住喊：“快砍掉他的头。”

爱丽丝站出来替杰克抱打不平。她说：“信的内容都不知道，怎么就证明杰克有罪呢？”

大白兔只好尖声细语读起信来：

yǒu rén shuō nǐ céng jīng zhǎo tā
“有人说你曾经找她，

hái wèn qǐ wǒ de qíng kuàng
还问起我的情况，

yǐ wéi wǒ shì gè yuán dīng
以为我是个园丁，

kě shì shuō wǒ bù huì yóu yǒng
可是说我不会游泳。

wǒ shì yī gè yǒu běn lǐng de shuǐ shǒu
我是一个有本领的水手，

jīng guò le kuáng fēng jù làng
经过了狂风巨浪。

wǒ gēn zhe lǎo chuánzhǎng wài chū yuǎn háng
我跟着老船长外出远航。

yù dào guò yī tiáo dà jīng yú
遇到过一条大鲸鱼，

xiǎn xiē biàn chéng jīng yú de měi wèi xiàn bǐng
险些变成鲸鱼的美味馅饼。

hòu lái wǒ xué huì le yóu yǒng
后来我学会了游泳，

dàn shì bì xū chuān shàng qián shuǐ zhuāng
但是必须穿上潜水装。

qián dào hǎi dǐ shì jiè kàn yī kàn
潜到海底世界看一看，

nà zhēn shì yī fān qí miào de jǐng xiàng
那真是一番奇妙的景象。

shuǐ cǎo féi měi gēn lù dì yī yàng
水草肥美跟陆地一样，

shuǐ guǒ xiàn bǐng bù fàng bái táng
水果馅饼不放白糖。

yú ér zài hǎi dǐ yǐn cáng
鱼儿在海底隐藏，

sì jì biàn huà zài xīn zhōng zhēn cáng
四季变化在心中珍藏。

rì chū hé rì luò dōu lí de hěn yuǎn
日出和日落都离得很远，

méi yǒu jiān yù yě méi yǒu guó wáng
没有监狱也没有国王。”

zhè zhèng cí hěn zhòng yào dà jiā dōu rèn zhēn
“这证词很重要，大家都认真
jì xià lái guó wáng duì shěn pàn yuán men shuō
记下来。”国王对审判员们说。

wáng hòu wèn jié kè nà me nǐ huì yóu
王后问杰克：“那么你会游
yǒng ma
泳吗？”

jié kè hěn shāng xīn de yáo yáo tóu jié kè
杰克很伤心地摇摇头。杰克
zì jǐ zhī dào yī zhāng pū kè pái zěn me huì yóu
自己知道，一张扑克牌怎么会游
yǒng ne yī dào shuǐ lǐ jiù huì shī tòu pào làn
泳呢？一到水里就会湿透泡烂。

guó wáng hěn kāi xīn tā duì péi shěn tuán shuō
国王很开心，他对陪审团说：
xiàn zài yǐ jing qīng chu le shuǐ guǒ xiàn bǐng shì shuí
“现在已经清楚了，水果馅饼是谁
tōu de qǐng péi shěn tuán jué dìng
偷的，请陪审团决定。”

wáng hòu bù tóng yì guó wáng de yì jiàn tā
王后不同意国王的意见，她
zhǐ shì shuō bù yòng fèi shí jiān le xiān kǎn diào
只是说：“不用费时间了，先砍掉
jié kè de tóu
杰克的头。”

wáng hòu shuō wán jiù dà hǎn dà jiào ràng shì cóng
王后说完就大喊大叫让侍从
men dòng shǒu jié kè xià de quán shēn zhí fā dǒu tā
们动手，杰克吓得全身直发抖。他

申辩说自己从来没偷过什么馅饼，自己是扑克牌不需要吃东西。可是国王和王后根本不听杰克的申辩，他们坚持砍头。王后甚至歇斯底里叫喊：“砍杰克的头，砍一百次！”

法庭上一片嘈杂，陪审团成员们交头接耳，有人说：“我们陪审团这不成摆设了，一点都不征求我们的意见，还要陪审团干什么？”

国王和王后对陪审团成员的话很不满意，他们说：“陪审团是我们设立的，要听我们的话。如果陪审团不同意我们的意见，杰克的头照样要砍，我们还要解散陪审团。让法庭里只有国王和王

hòu de yī zhǒngshēng yīn
后的一种声音。”

ài lì sī shí zài rěn bù zhù le tā dà
爱丽丝实在忍不住了，她大
shēng shuō yào àn chéng xù děng shěn pàn yuán hé péi
声说：“要按程序，等审判员和陪
shěn tuán zuò chū jué dìng zài kǎn tóu yě bù wǎn
审团做出决定再砍头也不晚。”

nǐ wú quán shuō huà wáng hòu hěn shēng qì
“你无权说话。”王后很生气
de shuō
地说。

wǒ yǒu quán lì zǔ zhǐ cuò wù de jué dìng
“我有权力阻止错误的决定，
tè bié shì guān xì dào shēng mìng ài lì sī yī diǎn
特别是关系到生命。”爱丽丝一点
yě bù shì ruò
也不示弱。

“砍掉爱丽丝的头！”王后近似疯狂地喊。没有人动手。

爱丽丝说：“我不会怕你的，

你不过是一张纸牌。”这时，王后发怒了，命令所有的纸牌朝爱丽丝飞去，她又惊又怕，试图用手赶走它们。

忽然，爱丽丝发现自己躺在河边的树下，头枕着姐姐的腿，风

chuī xià de shù yè yǒu jǐ piàn luò zài tā de shēnshang
吹下的树叶有几片落在她的身上。

ài lì sī nǐ zhōng yú xǐng le nǐ kě
“爱丽丝，你终于醒了，你可
shì shuì le zhěngzhěng yī gè xià wǔ jiě jie yī biān
是睡了整整一个下午。”姐姐一边
bāng tā jiǎn diào shēnshang de shù yè yī biān shuō
帮她捡掉身上的树叶一边说。

ài lì sī bǎ mèngzhōng de qí yù gào su le
爱丽丝把梦中的奇遇告诉了
jiě jie jiě jie shuō mèngzhōng de shì qing shì bù
姐姐。姐姐说：“梦中的事情是不
cún zài de hěn kuài jiù huì wàng jì
存在的，很快就会忘记。”

ài lì sī yáo yáo tóu tā bù tóng yì jiě
爱丽丝摇摇头，她不同意姐
jie de shuō fǎ ài lì sī hěn ài mèngzhōng de dà
姐的说法。爱丽丝很爱梦中的大
bái tù jiǎ hǎi guī zhì mào rén shèn zhì nà liǎng
白兔、假海龟、制帽人，甚至那两
gè zhǐ hǎn kǎn tóu ér bù zhēn dòng shǒu de guó wáng hé
个只喊砍头而不真动手的国王和
wáng hòu
王后。

ài lì sī hái qīng xī jì de nà ge zhū wá
爱丽丝还清晰记得那个猪娃，
tā zài gōng jué fū rén huái lǐ yòu kū yòu nào yòu dǎ
它在公爵夫人怀里又哭又闹又打
pēn tì dàn shì yī dào ài lì sī huái lǐ jiù biàn
喷嚏，但是一到爱丽丝怀里就变
de nà me wēn shùn guāi de xiàng zhī xiǎo māo
得那么温顺，乖得像只小猫。

现在，爱丽丝虽然坐在姐姐身边，但是，只要她一闭上眼睛，就觉着自己仍然身处梦境。她忘不了睡鼠的憨态，它永远都迷迷糊糊，就像睡了一百年也还是睡不醒。爱丽丝印象最深的是王后的槌球赛，那简直荒唐至极。世界上哪有这样的比赛，除非是在梦里。可是，从梦中一醒来，爱丽丝就觉着百无聊赖，真实的生活中没有虚构中的仙境，没有梦中的奇遇。真实的生活对姐姐最合适，因为姐姐喜欢规范，喜欢宁静。

爱丽丝喜欢梦，喜欢虚幻和飘渺，梦中的奇遇将伴随她度过童年的孤寂，也许永留心间。

爱丽丝镜中奇遇记

迷失在镜子中

爱丽丝有一只宠物猫，它的名子叫黛娜。黛娜是个非常有经验的老猫。

她很会照顾自己的孩子。经常给小黑猫和小白猫洗脸。黛娜给小猫洗脸时，用爪子按住小猫的一只耳朵，另一只爪子从鼻子开始转圈洗。小猫咪咪叫着反抗，黛娜照样我行我素。

黛娜刚给小白猫洗完脸，小

白猫干干净净地躺在竹板床上，一副好可爱的样子。小黑猫下午就洗过了，现在正满屋子玩耍。

爱丽丝在一张躺椅上睡午觉。小黑猫所有的玩具都玩够了，就把爱丽丝的毛线团扯来扯去，它玩的可真开心。

好端端的一团毛线，变成了一团解不开的乱麻。小黑猫越扯越乱，险些把自己裹进毛线团里出不来。

小黑猫正玩得有趣，爱丽丝醒来了。她一看小黑猫干的好事，肺都要气炸了。

爱丽丝朝小黑猫大声喊：“你这个淘气的小东西，你太淘气了。”

小黑猫看着爱丽丝发火，一点都不知道为什么？爱丽丝无可奈何地抱起小黑猫，一边拍着它的背

一边说："你的妈妈黛娜应该教你懂事，这是老猫的责任。"

黛娜受了爱丽丝的责怪，心里很难过，她低着头卧在床底下，一直不吭声。

爱丽丝把小黑猫放在椅子背

上，自己坐下来重新缠线团。小黑猫轻轻地扯一下线团，好像在为爱丽丝帮忙。爱丽丝说：“你这个小淘气，难道今天做的坏事还不够吗？现在又来添乱，我真该把你从窗户扔出去。”

爱丽丝说着，把小黑猫抱到窗户前，向外望去，窗外正飘着大大的雪花。

小黑猫用两只爪子扒着玻璃，煞有介事地看着窗外飞舞的雪花。它想抓住其中的几片，爪子在玻璃上抓出吱吱的怪声。

爱丽丝对小黑猫说：“你听到雪花落地的声音吗？很轻很轻，它是怕惊醒睡在地下的麦苗。雪花一层一层落下来，就像厚厚的被子，给麦苗盖在身上很暖和。麦苗就会安安稳稳睡到春天，等着春风把它们叫醒。”

小黑猫似乎听懂了爱丽丝的话，它朝着飘舞的雪花咪咪地叫起来。爱丽丝把小黑猫重新抱在怀里，又对它悄声细语地讲：“春天到来时，麦苗就会穿上绿衣裙，

迎着风翩翩起舞。麦苗感谢雪花的呵护，可是这时雪花已不见了，雪花溶化到了土壤里。”

小黑猫又咪咪叫了两声，爱丽丝知道小黑猫还是似懂非懂。

爱丽丝把小黑猫抱到壁橱前，这里有一面很大很大的镜子。小黑猫看见镜子里的自己大惑不解，直用爪子去攻击。

爱丽丝觉着很好笑。她对小黑猫说：“小淘气，你知道镜子成像的道理吗？这里面的一切都和外面的东西一样，只不过方向相反。”

小黑猫听不懂爱丽丝的话，继续用爪子攻击镜子中的自己。爱丽丝只好找来一本书，她指给

xiǎo hēi māo kàn qiáo jìng zi zhōng shū shang de zì
小黑猫看："瞧，镜子中书上的字

shì bù shì fǎn zhe
是不是反着？"

ài lì sī bǎ shū shang fǎn zhe de zì yī biàn
爱丽丝把书上反着的字一遍

yī biàn zhǐ gěi xiǎo hēi māo kàn xiǎo māo mī mī
一遍指给小黑猫看，小猫"咪咪"

jiào le jǐ shēng yòu cháo jìng zi zhōng de shū zhuā qù
叫了几声，又朝镜子中的书抓去，

yuè shì zhuā bù zháo jiù yuè yòng lì qi ài lì sī
越是抓不着就越用力气。爱丽丝

shēng qì de shuō wǒ bǎ nǐ rēng jìn jìng zi li qù
生气地说："我把你扔进镜子里去

suàn le
算了。"

ài lì sī zhēn de chǎn shēng yī zhǒng qí miào de
爱丽丝真的产生一种奇妙的

xiǎng fǎ dào jìng zi li qù kàn kàn nà li shì bù
想法，到镜子里去，看看那里是不

是很有趣。她蹬上壁橱，然后够着镜子，抱着小黑猫向镜子迈去。

奇怪，一面大镜子像水汽一样散去，爱丽丝和小黑猫来到了

一间大房子里。她看见房间的壁炉上火焰熊熊燃烧，屋子里暖烘烘。爱丽丝太高兴了，她就喜欢冬天里暖和的地方。她更高兴的是，人们能从镜子里看到她，却抓不着她，假如她逃学，家长和老师

拿她都没办法。

爱丽丝在屋里四处走动，她看见墙壁上所挂着的东西都像是活的，还会动。壁炉上有一个小闹钟，像一个慈祥的老头，直冲她咧嘴笑。地板上有一堆棋子，棋子正挽着手走动，其中有红方国王、王后和白方国王、王后。

红方国王和王后是乘坐空中客车到来的，高速运转的空中客车旅行，是他们此生最惊险的经历。他们把一路上的惊心动魄讲给白方国王和王后。

白方国王和王后很不以为然，他们说：“这算什么呀，你们还没遇上火山呢？我们乘索道从火山上经过，差一点就变成烤鱼干，这才叫死里逃生，经历坎坷呢！”

这时白方国王和王后看见壁炉里的火苗大声喊叫：“这里也有火山，快逃命！”

白方国王和王后顺着桌子腿往上爬，红方国王和王后也跑过来，顺着另一个桌子腿往上爬。爱丽丝被他们的行为逗笑了，她心里想：“真是一群没见过世面的胆小鬼。”

爱丽丝伸手把四位逃生者放在桌子上。他们正累得气喘吁吁。

当这四个人被爱丽丝提起来时，他们的腿都吓软了。直到被安全放到桌子上，他们的腿还在

颤抖。

红方国王看着似曾相识的爱丽丝鼓起勇气问：“你就是那曾经到过我们领地的小姑娘吗？”

爱丽丝看着他们这副受惊吓的样子很好笑。她说：“是啊，我还跟王后玩过槌球游戏，难道你们都忘记了。”

红方王后喊起来：“是这样，我幸亏没砍你的头，要不然今天

wǒ men jiù bù néng jiàn miàn le
我们就不能见面了。”

bái fāng guó wáng hé wáng hòu hěn jǔ sàng tā
白方国王和王后很沮丧，他
men yuán lái bù rèn shi ài lì sī bù zhī xiàn zài
们原来不认识爱丽丝。不知现在
ài lì sī huì rú hé duì dài tā men ài lì sī
爱丽丝会如何对待他们。爱丽丝
fǎng fú kàn tòu le zhè liǎng wèi de xīn si tā shuō
仿佛看透了这两位的心思，她说：
jīn hòu wǒ men dōu shì péng yǒ le nǐ men shēn
“今后，我们都是朋友了，你们身
cái ǎi xiǎo yǒu bù biàn de shì wǒ huì jìn lì
材矮小，有不便的事，我会尽力
bāng máng
帮忙。

ài lì sī yòu xiàng tā men jiè shào le xiǎo
爱丽丝又向他们介绍了小
hēi māo
黑猫。

xiǎo hēi māo yǒu diǎn bù xǐ huan zhè xiē ào
小黑猫有点不喜欢这些傲
màn de xiǎo rén tā jù jué xiǎo ǎi rén men de fǔ
慢的小人，它拒绝小矮人们的抚
mō hái yòng zhuǎ zi zhuā luàn le hóng fāng wáng hòu de
摸，还用爪子抓乱了红方王后的
tóu fa ài lì sī chì zé xiǎo hēi māo méi lǐ mào
头发。爱丽丝斥责小黑猫没礼貌，
rán hòu yòng shū zi gěi hóng fāng wáng hòu shū lǐ le tóu
然后用梳子给红方王后梳理了头
fa hóng fāng wáng hòu tàn le kǒu qì shuō bù guài
发。红方王后叹了口气说：“不怪

xiǎo hēi māo zhuā wǒ nǐ qiáo zán zhè shēn dǎ ban
小黑猫抓我，你瞧，咱这身打扮，
huó xiàng chū tǔ wén wù shuí kàn le huì xǐ huan ne
活像出土文物，谁看了会喜欢呢？”

bái fāng wáng hòu yě shuō wǒ men shì qí zǐ
白方王后也说：“我们是棋子
lǐ de guó wáng hé wáng hòu xiǎo hēi māo yòu bù wán
里的国王和王后，小黑猫又不玩
qí tā zěn me huì rèn shi wǒ men
棋，它怎么会认识我们？”

ài lì sī hū rán xiǎng qǐ wán chuí qiú yóu xì
爱丽丝忽然想起玩槌球游戏
de hóng fāng guó wáng hé wáng hòu shì pū kè pái xiàn
的红方国王和王后是扑克牌，现
zài zěn me huì biàn chéng qí zǐ shì bù shì rèn cuò
在怎么会变成棋子，是不是认错

人了？

红方王后听爱丽丝说认错人的事，笑嘻嘻地说：“没错，我们在扑克牌中是国王和王后，在棋子中也是国王和王后。因为我们家族是王室，所以生来就是国王

和王后。”

爱丽丝听红方王后这么一说，心里很讨厌她，心想，天生是国王

hé wáng hòu wèi shén me kàn jiàn bì lú lǐ de huǒ
和王后，为什么看见壁炉里的火
jiù xià de yào mìng
就吓得要命。

ài lì sī bào zhe xiǎo hēi māo lí kāi zhè sì
爱丽丝抱着小黑猫离开这四
gè zì mìng bù fán de rén tā lái dào xiě zì tái
个自命不凡的人。她来到写字台
qián suí shǒu ná qǐ yī běn shū shū shang de zì dōu
前，随手拿起一本书，书上的字都
shì dào zhe xiě de ài lì sī xiǎng bǎ zhè xiē shū
是倒着写的，爱丽丝想，把这些书
ná dào jìng zi qián bù jiù zhèng guò lái le
拿到镜子前不就正过来了。

yú shì ài lì sī bǎ shū jǔ dào jìng zi qián
于是爱丽丝把书举到镜子前，
shū shang xiě zhe
书上写着：

wǎn cān kǎo yáng ròu
晚餐烤羊肉，
kǎo shú le yī kàn shì yī duī tǔ dòu
烤熟了一看是一堆土豆。
tǔ dòu shuō bié kàn wǒ yuán liū liū
土豆说，别看我圆溜溜，
chī zài zuǐ lǐ hái shì xiàng ròu
吃在嘴里还是像肉。
ròu chī duō le huì shēng bìng
肉吃多了会生病，
tǔ dòu chī duō shǎo yě bù huì yá tòng
土豆吃多少也不会牙痛。
kǎo yáng ròu kǎo chū tǔ dòu
烤羊肉烤出土豆，

xiāng pēn pēn sài guò kǎo yáng ròu
香喷喷赛过烤羊肉。

ài lì sī niàn zhe zuǐ li liú chū kǒu shuǐ
爱丽丝念着，嘴里流出口水，
dù zi gū gū zhí jiào
肚子咕咕直叫。

ài lì sī zhè cái xiǎng qǐ gāi chī wǎn fàn le
爱丽丝这才想起该吃晚饭了，
tā yào shì bù zhuā jǐn huí qù jiā lǐ rén huì diàn
她要是不抓紧回去，家里人会惦
jì tā yào zhǎo dào xià wǔ lái shí de nà miàn jìng
记。她要找到下午来时的那面镜
zi kě shì jìng zi bù jiàn le
子，可是镜子不见了。

tā zhǐ hǎo shùn zhe lóu tī xià qù xiǎng cóng
她只好顺着楼梯下去，想从
yuàn zi li huí dào zì jǐ de jiā ài lì sī yī
院子里回到自己的家。爱丽丝一
shǒu bào zhe xiǎo hēi māo yī shǒu fú zhe lóu tī bù
手抱着小黑猫，一手扶着楼梯。不
shì yī gè tái jiē yī gè tái jiē mài xià qù ér
是一个台阶一个台阶迈下去，而
shì qīng piāo piāo de piāo xià qù piāo de tóu yǒu diǎn yūn
是轻飘飘地飘下去，飘得头有点晕。

ài lì sī zhēn pà zì jǐ bù huì zǒu lù le
爱丽丝真怕自己不会走路了，
tā tà zhe tǔ dì shí shǐ jìn duò le yī xià jiǎo
她踏着土地时使劲跺了一下脚，
jiǎo réng rán hěn jiān shí ài lì sī zhī dào zì jǐ
脚仍然很坚实。爱丽丝知道自己
bìng méi gǎi biàn shén me zhè cái fàng xīn de cháo qián
并没改变什么，这才放心地朝前

走。爱丽丝从楼梯走下后穿过院子，走出一道大门又走进一个小门。她从小门出来，又回到了楼梯前。奇怪，怎么会又回到原路呢？爱丽丝不甘心，她这次从楼梯

往反方向走去，走进一个大门，又走进一个小门，从小门出来又回到楼梯前。爱丽丝很沮丧，自己怎么才能走出迷宫呢？

爱丽丝坐在楼梯的最后一个

台阶上，她仔细观察四周的环境。这是一个以楼梯为中线的狭长院落，爱丽丝无论往左往右都是大门小门，然后又回到楼梯。她正在沮丧中，发现楼梯左侧有一个藤萝掩映的小木栅栏门，回家的路一定在那里。爱丽丝赶忙起身奔向那个小木栅栏门。

ài lì sī bìng méi yǒu zhǎo dào huí jiā de lù
　　爱丽丝并没有找到回家的路，
tā lái dào yī gè xiǎo shān qiū　shān qiū shang zhǎng zhe
她来到一个小山丘。山丘上长着
xǔ duō měi lì de huā cǎo
许多美丽的花草。

rú guǒ zhàn zài xiǎo shān qiū de dǐng shang　jiù
　　如果站在小山丘的顶上，就
néng bǎ jìn chù hé yuǎn chù de dōng xi dōu kàn qīng chu
能把近处和远处的东西都看清楚。
ài lì sī zhè me xiǎng zhe jiù wǎng shān qiū shang pá
爱丽丝这么想着就往山丘上爬。
pá le hěn cháng shí jiān　ài lì sī fā jué zì jǐ
爬了很长时间，爱丽丝发觉自己
yòu huí dào le yuán lái de dì fang　zhēn shì tiān xià
又回到了原来的地方，真是天下
guài shì
怪事。

ài lì sī zhè shí hěn xiǎng kuài xiē huí dào jiā
　　爱丽丝这时很想快些回到家

里，就连怀里的小黑猫也咪咪叫着想回去。她重新辨认了一下方向，七转八拐来到一所房子前。爱丽丝再也不想进到房子里，除非这所房子里有一面大镜子，能让她和小黑猫回家，结束这次历险。

爱丽丝知道自己是个好奇心很强的女孩，她时常和姐姐争论一些事情，比如说航海探险。姐姐说：“那是男孩的想法，女孩不能向往狂风巨浪和颠沛流离，

女孩要在家里享受安宁，享受温暖和煦的阳光，享受大自然馈赠的鲜花和面包。”

爱丽丝不同意姐姐的想法和说法，她认为男孩和女孩都有权力探险。大海很神秘，海底也许更是一个奇妙的世界，如果能坐着一只小船，被风浪推着，走到很远很远的地方，那才好玩呢。

可是，今天的探险太没意思了。来时的大镜子转眼就不见了，这里既没有大海也没有高山，也没有一个小伙伴。爱丽丝第一次感到了孤独和寂寞是什么滋味。她想使劲喊，用自己的声音打破空旷的寂寞。于是，爱丽丝放开

嗓子大喊："喂，有人吗？喂！谁在这里？喂！我叫爱丽丝，我想找朋友！"

不远处传来一些声音："到这来，这里有萱草，这里有玫瑰。往前走，到我们中间来。"爱丽丝看到前面有一座房子，声音是从房子后面传来的。

爱丽丝绕过房子，试着朝前走。这次她来到一个大花坛前。花坛里种着一圈雏菊，最中央有一棵树，树下是几棵清秀的萱草。萱草随着风吹，树枝发出瑟瑟的响声，优雅地摇晃着。

爱丽丝站在花坛前，很喜爱花坛里的植物。这时，她看见一

棵萱草正朝她点头。

“你有话向我说吗？”爱丽丝问萱草。

萱草真地说话了：“我只跟有趣的人说话，你喜欢花草，一定是个有趣的人。”

爱丽丝说：“谢谢你的夸奖，我会尽力做个有趣的人。”爱丽丝

说完朝萱草挥挥手，她想离去。

萱草说：“你别走，多陪陪我们。如果你不累的话，请你到房子的东面取一些水来，我们实在太渴了。”

爱丽丝看看花坛，里面的土干巴巴，萱草有几片叶子都干得发黄。爱丽丝很怜惜这些干渴的植物，她绕到房子东面，从一个小池塘里提起一桶水，拎到萱草所在的花坛，轻轻倒进去，很快就被干渴的土地和植物们喝干。爱丽丝不辞辛苦，往返几次，直到萱草和雏菊们都高兴地说：“我们喝饱了，谢谢你！”

爱丽丝感觉替别人做一件好

shì xīn qíng tè bié hǎo, tā píng shí zǒng shì shòu jiě jie zhào gù, xiàn zài tā yě huì zhào gù bié rén le.
事心情特别好，她平时总是受姐姐照顾，现在她也会照顾别人了。

ài lì sī zài huā tán qián zhàn le hěn cháng shí jiān, yě méi jiàn yǒu yī gè yuán dīng huò nóng mín. tā
爱丽丝在花坛前站了很长时间，也没见有一个园丁或农民。她

duì xuān cǎo shuō: "nǐ men zhěng tiān zhàn zài zhè li, bù hài pà, bù jì mò?"
对萱草说：“你们整天站在这里，不害怕，不寂寞？”

xuān cǎo huí dá: "zhōng jiān zhè kē shù shì wǒ men de bǎo hù shén, tā yǒu hěn dà de nián líng, jīng cháng gěi wǒ men jiǎng yuǎn gǔ de gù shi. suǒ yǐ wǒ
萱草回答：“中间这棵树是我们的保护神，它有很大的年龄，经常给我们讲远古的故事。所以我

men bù hài pà gèng bù jì mò
们不害怕，更不寂寞。

dāng yǒu rén yào cǎi zhāi nǐ men de shí hou tā néng zuò shén me ne ài lì sī wèn
“当有人要采摘你们的时候，它能做什么呢？”爱丽丝问。

chú jú shuō huà le tā huì fā chū wū wū
雏菊说话了：“它会发出呜呜

de jiào shēng hái huì yòng shù zhī chōu dǎ zhāi huā rén de shǒu
的叫声，还会用树枝抽打摘花人的手。”

ài lì sī hěn gǎn dòng tā shuō méi xiǎng dào zhí wù jiān hái zhè yàng yǒu hǎo hù zhù kàn lái rén yào xiàng zhí wù xué xí
爱丽丝很感动，她说：“没想到植物间还这样友好互助，看来人要向植物学习。”

xuān cǎo shuō yǒu yī cì nǐ men chuān yī
萱草说："有一次你们穿衣
fu de rén xiǎng bǎ wǒ cǎi huí zuò xiāng liào zhè
服的人，想把我采回做香料，这
kē shù wān xià yāo wū wū yī jiào bǎ nà ge
棵树弯下腰，呜呜一叫，把那个
rén xià pǎo le
人吓跑了。"

zhè shí yī duǒ méi guī huā zǒu guò lái ài
这时，一朵玫瑰花走过来。爱
lì sī gèng jiā jīng qí tā duì méi guī huā shuō
丽丝更加惊奇，她对玫瑰花说：
nǐ zěn me huì zǒu lù ne
"你怎么会走路呢？"

méi guī huā shuō wǒ zhè shì pò bù dé yǐ
玫瑰花说："我这是迫不得已
cái xué huì de wǒ méi yǒu zhù zài huā tán li nà
才学会的，我没有住在花坛里，那
kē dà shù bǎo hù bù liǎo wǒ yǒu rén yào zhāi wǒ
棵大树保护不了我。有人要摘我
de shí hou wǒ jiù kuài bù pǎo zǒu
的时候，我就快步跑走。"

ài lì sī duì méi guī de jī zhì hěn pèi fú
爱丽丝对玫瑰的机智很佩服。
tā shuō nǐ zhǎng de zhè me jiāo měi jiù hǎo xiàng
她说："你长得这么娇美，就好像
měi lì de shào nǚ zhēn de yào xiǎo xīn nà xiē xīn
美丽的少女，真的要小心那些心
huái è niàn de rén
怀恶念的人。"

méi guī huā hǎo xiàng yǒu xiē shāng xīn tā duì
玫瑰花好像有些伤心，她对

爱丽丝说："我太孤单了，这个小山丘只有我一束，如果你把我的枝剪下来，一根一根插在土里再浇点水。等到春夏季，我就会有许多姐妹。我们身上有刺，又连成一片，坏人就不敢轻易损坏我们。"

爱丽丝照着玫瑰的话做了，她想等到明年春天或夏天再来这里看看。

萱草对爱丽丝的行为大加称赞。萱草家族的繁荣靠自己的种子。而雏菊家族的繁荣靠自己的根。它们只接受爱丽丝从不远处打来的一桶水。

爱丽丝告别了花草，想翻过小山丘到别处去看看。她一回头，

kàn jiàn hóng fāng wáng hòu zài bù yuǎn chù cháo tā zhāo shǒu
看见红方王后在不远处朝她招手。

hóng fāng wáng hòu chuān le yī jiàn hóng shàng yī
红方王后穿了一件红上衣，
lǜ cháng qún měi lì de xiàng yī duǒ méi guī ài
绿长裙，美丽得像一朵玫瑰。爱
lì sī xiàng wáng hòu xíng le gè lǐ wáng hòu hěn gāo
丽丝向王后行了个礼，王后很高
xìng tā duì ài lì sī shuō zhè ge xiǎo shān qiū
兴。她对爱丽丝说：“这个小山丘

tài ǎi le zǒu gēn wǒ qù pá yī zuò gāo shān
太矮了，走，跟我去爬一座高山。
nà li kàn dào de fēng jǐng cái jiào měi ne
那里看到的风景才叫美呢。”

ài lì sī xiǎng hóng fāng guó wáng wáng hòu yào
爱丽丝想，红方国王、王后要

shàng zhuō zi hái kào tā tí shàng qù hái yào qù pá
上桌子还靠她提上去，还要去爬
shān zhēn shì bù zì liàng lì
山，真是不自量力。

ài lì sī gēn zhe hóng fāng wáng hòu gāng yào lí
爱丽丝跟着红方王后刚要离
kāi xuān cǎo zài hòu mian hǎn tā āi xiǎo gū
开，萱草在后面喊她：“唉，小姑
niang nǐ bié tīng wáng hòu de huà tā huì bǎ nǐ dài
娘，你别听王后的话，她会把你带
jìn mí gōng
进迷宫。”

ài lì sī yī chí yí hóng fāng wáng hòu jiù
爱丽丝一迟疑，红方王后就
guò lái lā tā ài lì sī zhǐ hǎo gēn zhe wáng hòu
过来拉她。爱丽丝只好跟着王后
zǒu yuè guò yī zuò xiǎo shān yī zuò dà shān ài
走。越过一座小山，一座大山。爱

丽丝和王后来到一片方方正正的稻田，每块稻田与稻田之间有窄窄的田埂，要一跳一跳地过去。

红方王后给爱丽丝做了一个示范，自己灵巧地跳过去了。爱丽丝学着王后的样子也跳过去。可是跳来跳去又回到了原地。

爱丽丝很沮丧，她站在原地不跳了。红方王后却笑嘻嘻跳得很开心。爱丽丝想起萱草的话，她知道自己很难走出这片稻田。

爱丽丝这时又饿又渴，天也渐渐黑下来，连田埂都看不清，再跳非掉在水汪汪的稻田里，可是红方王后还在跳个不停。

爱丽丝说："我必须离开这个

dì fang rú guǒ nǐ bù gào su wǒ lí kāi zhè li
地方，如果你不告诉我离开这里
de mì jué wǒ jiù huì huí dào xuān cǎo tā men nà li
的秘诀，我就会回到萱草它们那里。”

hóng fāng wáng hòu zhǐ hǎo gào su ài lì sī
红方王后只好告诉爱丽丝，
tiào dào tián gé zi shí yào yòng lì kuài sù jiù xiàng
跳稻田格子时要用力、快速，就像
shàng tǐ yù kè tiào mù mǎ yī yàng zhǐ yǒu zhè yàng
上体育课跳木马一样。只有这样
cái néng kuà yuè dào tián de tián gěng zhí jiē cóng zhè
才能跨越稻田的田埂，直接从这
kuài tián gěng tiào dào duì miàn de yī kuài tián gěng shang
块田埂跳到对面的一块田埂上。
shuō wán hóng fāng wáng hòu gěi ài lì sī zuò le yī gè
说完红方王后给爱丽丝做了一个
shì fàn tā liáo qǐ qún bǎi cóng yī kuài dào tián de
示范，她撩起裙摆，从一块稻田的

田埂上朝对面的田埂跳去。她用力太猛，一下子跳到了对面的稻田里。稻田里有一尺深的水，红方王后的裙子全都浸湿了，她有些不好意思，只好让爱丽丝自己试着来。

爱丽丝试了几次，果然见效。她每跳一块稻田就找根小木棍插在田埂上作为标记。爱丽丝最后一看，一根一根小木棍就像稻田里的哨兵。

红方王后说：“春天一到，田埂上就会长出一棵一棵的小树。”

“那会影响稻子的生长吗？”爱丽丝问。

“不会，近几年小树长不大。

děng xiǎo shù zhǎng dà le jiù huì dǎng zhù yáng guāng dào
等小树长大了就会挡住阳光，稻
tián jiù huì shòu yǐng xiǎng hóng fāng wáng hòu shuō
田就会受影响。”红方王后说。

wǒ men xiàn zài bǎ zhè xiē xiǎo mù gùn bá
“我们现在把这些小木棍拔
le shěng de jiāng lái rě shì ài lì sī shuō zhe jiù
了省得将来惹事。”爱丽丝说着就
xiǎng dòng shǒu
想动手。

hóng fāng wáng hòu zǔ zhǐ le tā wáng hòu shuō
红方王后阻止了她。王后说：
jiāng lái zhè li bù zhòng dào zi gǎi chéng gōng yuán
“将来这里不种稻子，改成公园，
zhòng huā zhòng cǎo zhòng shù
种花，种草，种树。”

bié wàng le zhòng yī xiē xuān cǎo ài lì
“别忘了种一些萱草。”爱丽
sī shuō
丝说。

hóng fāng wáng hòu dā ying le ài lì sī zhè
红方王后答应了爱丽丝。这
yī dà piàn tǔ dì dōu shì hóng fāng guó wáng de lǐng dì
一大片土地都是红方国王的领地，
zuò wèi hóng fāng wáng hòu tā yǒu quán lì jué dìng nǎ
作为红方王后，她有权力决定哪
piàn tǔ dì jì xù zhòng zhuāng jia nǎ piàn tǔ dì gǎi
片土地继续种庄稼，哪片土地改
chéng gōng yuán cóng zhè yī diǎn jiǎng ài lì sī zhēn
成公园。从这一点讲，爱丽丝真
yǒu xiē xiàn mù hóng fāng wáng hòu quán lì què shí hěn
有些羡慕红方王后，权力确实很

yòu huò rén
诱惑人。

hóng fāng wáng hòu hé ài lì sī lí kāi dào tián jì xù cháo qián zǒu yù dào yī tiáo shuǐ liú tuān jí de xiǎo hé hóng fāng wáng hòu duì ài lì sī shuō
红方王后和爱丽丝离开稻田继续朝前走，遇到一条水流湍急的小河。红方王后对爱丽丝说：

wǒ bù néng cháo qián péi nǐ zǒu le guò le hé jiù bù shì hóng fāng guó wáng de lǐng dì wǒ bì xū liú zài hé zhè biān
“我不能朝前陪你走了，过了河就不是红方国王的领地，我必须留在河这边。”

ài lì sī yǔ hóng fāng wáng hòu zài yī cì fēn shǒu tā men xiǎn de yī yī bù shě tā men yuē dìng míng nián zài jiàn

爱丽丝与红方王后再一次分手，她们显得依依不舍。她们约定明年再见。

zǒu chū dào tián qián mian shì yī piàn huāng yě zá cǎo zhǎng de bǐ rén hái gāo ài lì sī hǎo bù róng yì cái cóng cǎo cóng lǐ zuān chū lái tā huí tóu wàng qù zá cǎo zhōng yǒu yī xiē kāi fàng de yě huā xíng zhuàng gè yì ài lì sī yī zhǒng yě jiào bù shàng míng zi tā kàn jiàn yī zhǒng xiàng mì fēng de kūn chóng bǎ xiàng bí zi nà yàng de xī guǎn shēn jìn huā ruǐ zhōng

走出稻田，前面是一片荒野，杂草长得比人还高。爱丽丝好不容易才从草丛里钻出来。她回头望去，杂草中有一些开放的野花，形状各异。爱丽丝一种也叫不上名字。她看见一种像蜜蜂的昆虫，把像鼻子那样的吸管伸进花蕊中，

它贪婪地吸着花粉。

爱丽丝想："它的工作方式像蜜蜂，只是长得不如蜜蜂那样精巧。不知道它吸进花粉是自己消化还是酿蜜造福人类。"

爱丽丝感觉自己很孤单，就凑上前去与昆虫搭话。

"小昆虫，你吃饱了吗？我想让你跟我去旅行，你愿意不愿意

去？”爱丽丝问。

小昆虫从花蕊中收回吸管，它想了想说：“你要乘什么交通工具？是要乘火车吗？前方不远的地方有车站。”

爱丽丝问：“乘火车是不是先去买票。”

小昆虫说：“你有20多英寸高，当然要买票。我就不同了，我小小身材从窗户缝就能钻进去。”

爱丽丝跟着飞舞的小昆虫来到车站，售票员让她去找火车司机买票。

小昆虫只好先从窗子缝飞进去。

爱丽丝找不着火车司机，这时火车快开了，她只好先上车再

去补票。

爱丽丝刚坐下，一个绅士模样的人对人们说："你们看，多小的一个小姑娘，她怎么会上车呢？她是否买过车票。"

绅士这么一说，大家都看着爱丽丝。一个老山羊似的老婆婆说："就算不认识字，总该知道买票的窗口？看来是没带钱。"

这句话提醒了爱丽丝，她真

的没有带1000英镑。这趟火车太贵了。

这时，小昆虫飞过来解围。它说："这个小姑娘有非同寻常的经历。"

一听说爱丽丝有特殊经历，大家都围过来。异口同声地说："快给我们讲讲。"

爱丽丝只好讲，自己是从镜子中来的，想再回到镜子中却找

bù dào yuán lù zhǐ hǎo gēn zhe xiǎo kūn chóng lái lǚ xíng
不到原路，只好跟着小昆虫来旅行。

rén men tīng le ài lì sī de huà yǒu rén
人们听了爱丽丝的话，有人

xiāng xìn yǒu rén bù xiāng xìn nà ge shān yáng pó
相信、有人不相信。那个山羊婆

po hái shì rèn dìng ài lì sī méi dài qián shì zài
婆还是认定爱丽丝没带钱，是在

biān gù shi bó dé dà jiā de tóng qíng suǒ yǐ shān
编故事博得大家的同情。所以山

yáng pó po yīn yáng guài qì de shuō dà jiā yào yǒu
羊婆婆阴阳怪气地说："大家要有

sī xiǎng hé zhǔ jiàn qiān wàn bié ràng yī gè xiǎo gū
思想和主见，千万别让一个小姑

niang de yǎn lèi gěi qī piàn le
娘的眼泪给欺骗了。"

shuí liú yǎn lèi le wǒ cái bù huì piàn rén
"谁流眼泪了，我才不会骗人

ne rú guǒ shuō wǒ zài biān gù shi nǐ men wèi
呢。如果说我在编故事，你们为

shén me bù xiān biān yī gè dà rén bǐ wǒ men xiǎo
什么不先编一个？大人比我们小

hái zi hái bù kě sī yì ài lì sī shuō wán liǎn
孩子还不可思议。"爱丽丝说完脸

zhuǎn xiàng chuāng wài bù zài lǐ chē shang de rén men
转向窗外，不再理车上的人们。

chuāng wài de shù mù shān luán suí zhe huǒ chē
窗外的树木、山峦随着火车

hū xiào ér fēi kuài hòu tuì ài lì sī kāi shǐ shǔ
呼啸而飞快后退。爱丽丝开始数

hòu tuì de shù gàn yī kē liǎng kē shí kē
后退的树干，一棵、两棵……十棵，

再后来就数忘了。她想转移自己的注意力，不听车厢里的人们七嘴八舌的议论。可是，讨厌的声音直往她的耳朵里钻。有人说：“别看这个小姑娘年龄小，心眼可特别多，一个小野蜜蜂还成了她的朋友，如果野蜜蜂乘车不买票，她当然也可以不买了。”

山羊婆婆赶忙随声附和：“可不是吗？我们这些人谁乘火车能不买票？下次我们出门时也把钱包放在家里，就说忘记带了。我们也坐一次不花钱的车，那样我们就公平了。”

火车穿过一个长长的隧洞，小昆虫很害怕，它悄悄落在爱丽

丝的肩头。

车箱里的人们把注意力转到小昆虫的身上。那个绅士说：“小姑娘没有打车票，小昆虫是不是也没买。她们两可都是从上一站上车的。”

山羊婆婆说：“列车长马上过来，我们告诉列车长。就说这里有两个逃票的，请他罚她们款。”

小昆虫听了山羊婆婆的话很生气，它反驳说：“我这么小，又

bù zhàn wèi zi píng shén me yào dǎ chē piào nǐ men
不占位子，凭什么要打车票？你们
zhè xiē páng rán dà wù yīng gāi huā yīng bàng cái duì
这些庞然大物应该花2000英镑才对。”

shān yáng pó po xiào le tā shuō hěn kě
山羊婆婆笑了。她说：“很可

xī huǒ chē shang méi yǒu zhè yàng de guī dìng wǒ zài
惜火车上没有这样的规定，我再
gāo dà yě zhǐ mǎi yīng bàng de piào
高大也只买1000英镑的票。”

zhè shí chē xiāng téng kōng ér qǐ rén men jīng
这时车厢腾空而起，人们惊
xià de hù xiāng chān fú bù jiǔ chē xiāng yòu píng
吓得互相搀扶。不久，车厢又平
wěn luò zài tiě guǐ shang shēn shì shuō gāng cái kě
稳落在铁轨上。绅士说：“刚才可
néng fā shēng le qiáng liè dì zhèn huǒ chē xiǎn xiē chū guǐ
能发生了强烈地震，火车险些出轨。”

山羊婆婆说："车厢外的建筑物一点也没变化，怎么会是地震？一定是谁在铁轨上放了拦截物，火车才会腾空而起，越过拦截物又平稳落在铁轨上。"

绅士对山羊婆婆的话很不同意，他说："火车又不是马，遇到拦截物怎么会腾空而起呢？怕是早就脱轨了。"

"喂，你们不要争吵，这件事已经过去了，你们谁的话都找不到可靠的根据，所以你们的争吵毫无意义。"一个乘客说。

绅士和山羊婆婆的争吵只好告一段落。他们看看表，已到吃午饭的时间，分别从各自的提兜

lǐ ná chū yī xiē shí pǐn bǎi fàng zài chē xiāng li
里拿出一些食品，摆放在车厢里
de xiǎo cān zhuō shang zhǔn bèi chī wǔ cān
的小餐桌上，准备吃午餐。

ài lì sī kàn le yī xià shēn shì hé shān yáng
爱丽丝看了一下绅士和山羊
pó po de wǔ cān zhēn shì gè jù tè sè shēn
婆婆的午餐，真是各具特色。绅
shì de wǔ cān shì yī tiě hé yú jiàng yī gè miàn
士的午餐是一铁盒鱼酱，一个面
bāo quān shí jǐ gè féi é gān hé yī dà píng pú
包圈，十几个肥鹅肝和一大瓶葡
táo jiǔ shēn shì bǎ yī tiáo bái bù cān jīn qiǎ zài
萄酒。绅士把一条白布餐巾卡在
yī lǐng shang ná qǐ dāo jiù zhǔn bèi jìn cān
衣领上，拿起刀就准备进餐。

shān yáng pó po de wǔ cān shì yī gè qīng luó
山羊婆婆的午餐是一个青萝
bo yī gè hóng luó bo yī kē bái cài hé shí jǐ
卜，一个红萝卜，一棵白菜和十几
kē qīng cǎo shān yáng pó po bǎ luó bo bái cài
棵青草。山羊婆婆把萝卜、白菜、
qīng cǎo xǐ gān jìng yě fàng zài xiǎo cān zhuō shang shēn
青草洗干净，也放在小餐桌上。绅
shì duì shān yáng pó po shuō wǒ men bù néng tóng cān
士对山羊婆婆说：“我们不能同餐
zhuō yīn wèi nǐ de shí wù huì shǐ wǒ fǎn wèi yǐng
桌，因为你的食物会使我反胃，影
xiǎng wǒ de shí yù
响我的食欲。”

shān yáng pó po hěn bù gāo xìng tā shuō
山羊婆婆很不高兴，她说：
nǐ zhè xiē yú ròu yóu nì de dōng xi wǒ méi xián
“你这些鱼肉油腻的东西，我没嫌
qì nǐ jiù bù cuò le nǐ zěn me hái yào jù jué
弃你就不错了，你怎么还要拒绝
yǔ wǒ tóng zhuō jìn cān ne zhēn shì gè bù jìn rén
与我同桌进餐呢？真是个不近人
qíng de rén
情的人。”

shēn shì jiàn shān yáng pó po zhí yì bù zǒu
绅士见山羊婆婆执意不走，
zhǐ hǎo zì jǐ shōu shi shí wù dào lìng yī gè xiǎo cān
只好自己收拾食物到另一个小餐
zhuō shang qù le shān yáng pó pó yǐ shèng lì zhě de
桌上去了。山羊婆婆以胜利者的
zī tài dú zhàn cān zhuō liáo qǐ cháng cháng de hú xū
姿态独占餐桌，撩起长长的胡须，

dà kǒu dà kǒu chī qǐ luó bo luó bo zhī shùn zhe zuǐ jiǎo liú xià lái gěi rén hěn bù yǎ de gǎn jué
大口大口吃起萝卜。萝卜汁顺着嘴角流下来，给人很不雅的感觉。

shēn shì hé shān yáng pó po chī wán wǔ cān yòu kāi shǐ gāo tán kuò lùn shēn shì shuō xiàn zài liú xíng yī zhǒng wǔ dǎo lèi sì qià qià wǔ zhè zhǒng wǔ dǎo hěn nán xué
绅士和山羊婆婆吃完午餐又开始高谈阔论。绅士说："现在流行一种舞蹈，类似恰恰舞。这种舞蹈很难学。"

shān yáng pó po shuō wǒ men jiā zú zǒu lù jiù shì wǔ dǎo hái yǒu shén me wǔ dǎo néng nán zhù wǒ ne shuō wán shān yáng pó po zài chē xiāng lǐ zuò le jǐ gè yōu měi liú chàng de wǔ dǎo dòng zuò
山羊婆婆说："我们家族走路就是舞蹈，还有什么舞蹈能难住我呢？"说完山羊婆婆在车厢里做了几个优美流畅的舞蹈动作。

shēn shì biǎo xiàn chū bù xiè yī gù de tài dù zhè shǐ shān yáng pó po hěn bù mǎn yì tā bǎ ài lì sī jiào guò lái yī dìng qǐng tā dāng cái pàn kàn zì jǐ de wǔ dǎo dòng zuò shì fǒu dào wèi ài lì sī dāng rán bù huì ràng shān yáng pó po sǎo xìng tā shuō nín nián qīng shí yī dìng xué guò wǔ dǎo jī běn
绅士表现出不屑一顾的态度，这使山羊婆婆很不满意。她把爱丽丝叫过来，一定请她当裁判，看自己的舞蹈动作是否到位。爱丽丝当然不会让山羊婆婆扫兴，她说："您年轻时一定学过舞蹈基本功，所以您的动作很到位。特别接近恰恰舞的动作，节奏感分明，动感流畅。您完全可以参加大型舞会，说不定还能成为舞会的王后呢？”

绅士听了爱丽丝如此夸奖山羊婆婆，捂着嘴直笑。他对小昆虫说：“这个小姑娘忘记了山羊婆婆刚上火车时坚持让你们去买票

de jiān kè zhēn shì gè xīn dì shàn liáng yòu jiàn wàng
的尖刻，真是个心地善良又健忘
de xiǎo gū niang
的小姑娘。”

ài lì sī hé xiǎo kūn chóng bù zài gēn bié rén
爱丽丝和小昆虫不再跟别人
shuō huà tā men dī shēng jiāo tán qǐ lái
说话，她们低声交谈起来。

xiǎo kūn chóng gào su ài lì sī tā yě shì
小昆虫告诉爱丽丝，它也是
yī zhī mì fēng zhǐ bù guò jiào yě mì fēng tā xī
一只蜜蜂只不过叫野蜜蜂。它吸
shí huā fěn niàng de mì jiù cáng zài shù zhī shang de
食花粉，酿的蜜就藏在树枝上的
xiǎo dòng li yǒu shí bèi xiǎo hóu zi tōu tōu chī diào
小洞里。有时被小猴子偷偷吃掉，
yǒu shí bèi zhuō yě mì fēng de xiǎo péng you chī diào
有时被捉野蜜蜂的小朋友吃掉。

nǐ wèi shén me bù dào yǎng fēng rén de fēng
“你为什么不到养蜂人的蜂
xiāng lǐ qù niàng mì ne ài lì sī wèn
箱里去酿蜜呢？”爱丽丝问。

měi gè fēng xiāng dōu yǒu fēng wáng tā men shì
“每个蜂箱都有蜂王，它们是
bù yǔn xǔ yě mì fēng jìn rù de
不允许野蜜蜂进入的。”

ài lì sī zhè cái zhī dào yuán lái xiǎo kūn
爱丽丝这才知道，原来小昆
chóng yě yǒu xǔ duō xiǎn wéi rén zhī de jīng lì
虫也有许多鲜为人知的经历。

yě mì fēng gào su ài lì sī yǒu yī cì
野蜜蜂告诉爱丽丝，有一次

它独自出门旅行，正遇见一个放蜂人在放蜂。那一带有许多槐树，槐树上开着一串串白色的花朵，远远就能闻到槐花的香甜。养蜂人把蜂箱打开，里面飞出上千只蜜蜂，它们唱着歌结伴飞到槐花上，伸出尖尖的吸管吸食花蕊上的花粉。只有野蜜蜂一个人躲在一棵枯树上，等了很长时间，养蜂

人把吸饱花粉的蜜蜂都放进蜂箱，野蜜蜂才悄悄飞出来。它不敢唱歌，连大气都不敢出，一点一点在蜜蜂们吸剩下的槐树花上吸食残留的花粉。槐花那独特的馨香，野蜜蜂一点也没尝到。等它刚填饱肚子，槐树林里下起了大暴雨。养蜂人用雨布把蜂箱盖得严严实实。

雨越下越大，野蜜蜂在树叶下东躲西藏，浑身还是浇得湿淋淋的。那天的雨一直下了一个下午又一个夜晚。野蜜蜂真羡慕养蜂人蜂箱里那些有人照顾，有人疼爱的蜜蜂。

说到伤心处，野蜜蜂流下了

两滴大大的泪珠。爱丽丝赶忙安慰野蜜蜂，她说：“你受了很多苦，你才这样坚强，这样善解人意。苦难是一笔财富，你将来的前途会很光明的。”

野蜜蜂说：“自从认识了你，我的心胸变得很开阔，有朋友相伴，多么艰难的旅途都不可怕。”

绅士和山羊婆婆插话说：“你

们在说什么，是不是饿了，我们这里有食物。”

山羊婆婆又补充一句：“不过，哪里都没有免费的午餐，我们的食物很好，营养丰富，但是要花钱买。这个小姑娘和小昆虫连车票都买不起，哪有钱买食物？看来你们只好饿到终点了。”山羊婆婆有点幸灾乐祸，这让爱丽丝很不理解。刚才让爱丽丝评价她的舞蹈时很真诚，转脸就变了一副态度。

爱丽丝和野蜜蜂转过头不再理绅士和山羊婆婆，她们虽然肚子咕咕直叫，但坚持不向绅士和山羊婆婆要食物吃。人是要有志气的。

绅士和山羊婆婆看爱丽丝和小昆虫饿得伏在小餐桌上，他们感觉这个玩笑开得过重了。于是绅士从提兜里拿出一些好吃的食物，山羊婆婆也把自己的萝卜拿出来，真诚地送给爱丽丝和小昆虫。

爱丽丝和小昆虫谢过绅士和山羊婆婆，她们大口大口吃起来。野蜜蜂一边吸食面包渣一边说：

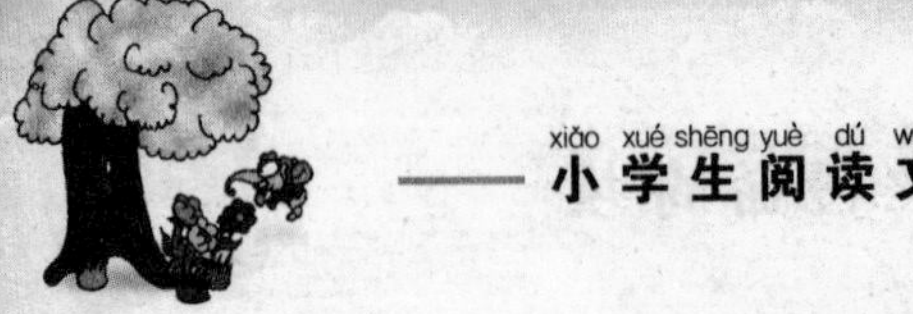

wǒ cóng lái méi yǒu chī guò miàn bāo gēn huā fěn chà
“我从来没有吃过面包，跟花粉差
bù duō zhǐ shì cū cāo le yī xiē
不多，只是粗糙了一些。”

ài lì sī zài jiā lǐ shí cóng lái bù chī
爱丽丝在家里时，从来不吃
luó bo jīn tiān tā chī zhe luó bo jiù xiàng píng shí
萝卜。今天她吃着萝卜就像平时
chī píng guǒ yī yàng tián ài lì sī wèn shān yáng pó
吃苹果一样甜。爱丽丝问山羊婆
po wèi shén me nín de luó bo hé wǒ zài jiā shí
婆，为什么您的萝卜和我在家时
chī de luó bo wèi dào bù tóng ne wǒ zài jiā shí
吃的萝卜味道不同呢？我在家时
jué zhe chī luó bo wèi tóng jiáo là jīn tiān de luó
觉着吃萝卜味同嚼腊，今天的萝
bo hěn tián hǎo xiàng bǐ zuì tián de píng guǒ hái tián
卜很甜，好像比最甜的苹果还甜。

山羊婆婆用爪子梳了梳头发，说了一句很有哲理的话。她说：“这就叫饱了不好吃，饿了甜如蜜。你们今天太饿了，所以吃起萝卜就像苹果一样甜。”

绅士说：“那么我的肥鹅肝呢？吃起来像什么？是不是比苹果还甜？”

爱丽丝说：“肥鹅肝不能跟苹果比，肥鹅肝应该跟最好的三明治比，当然今天的肥鹅肝是最好吃的，比任何高品味的三明治都好吃。

车厢里，人们之间的关系变得很融洽，绅士和山羊婆婆也不在高谈阔论。爱丽丝和野蜜蜂吃完食物，向绅士和山羊婆婆道谢说，如果有机会到爱丽丝的家，她一定会用家乡最具特色的食物招待这些旅伴。

山羊婆婆说：“是啊，如果一个人孤独旅行，那该是多么不幸的事情。试想如果这一列火车里，只有一个人，该是多么孤独和寂寞啊。所以说相识是缘份，我们这次旅行很愉快，也很难忘。”

这时，列车车窗外的树林中跑过一只惊恐的小鹿，火车长长的汽笛声使它受了很大惊吓。它奔跑着，不时回头张望，这个庞然大物在它眼里神秘而恐惧。小鹿的周围没有同伴，它的家大概还在很远的地方。小鹿跑走了，不知等待它的是祸是福。绅士鼻子顶在列车车窗的玻璃上，但是再也看不到那头惊恐的小鹿了。

野蜜蜂对大家说："我遇到过

迷路的小鹿，它们找不到家很可怜。有的小鹿误入牧羊人的草场，被牧羊人套住，把小鹿的角用锯锯下来，卖给药贩子。小鹿疼得几天不吃东西。有一次，我把一

zhī mí lù de xiǎo lù sòng dào le sēn lín li， shǐ
只迷路的小鹿送到了森林里，使
xiǎo lù xìng miǎn zāo zāi
小鹿幸免遭灾。”

ài lì sī gèng jiā zūn zhòng yě mì fēng le
爱丽丝更加尊重野蜜蜂了。
tā liǎng yuē dìng hǎo， děng zhè cì lǚ xíng jié shù， ài
她两约定好，等这次旅行结束，爱
lì sī zhǎo dào le jiā， jiù qǐng yě mì fēng dào zì
丽丝找到了家，就请野蜜蜂到自
jǐ jiā de huā yuán cǎi huā niàng mì。 zhè yàng yě mì
己家的花园采花酿蜜。这样野蜜
fēng jiù yǒu le zì jǐ de fēng xiāng
蜂就有了自己的蜂箱。

huǒ chē zǒu le hěn cháng shí jiān， yī gè zhàn
火车走了很长时间，一个站
tái yě méi yǒu。 ài lì sī xīn li nà mèn： zhè
台也没有。爱丽丝心里纳闷：“这

是直达特快还是什么专列，为什么中途没有停靠站？”

野蜜蜂四处为家见识多，它对爱丽丝说：“别着急，这里是无人区当然没有车站，等你看见车窗外的灯光或屋顶的时候就有车站要停靠了。”

“你经常乘火车到处采花粉吗？”爱丽丝问野蜜蜂。

“我没有家，到处流浪。哪里有花草我就飞到哪。有时跨森林，越海洋，飞得很累。这时，我就乘火车或轮船，反正我又不用买票。”

“你坐过飞机吗？”爱丽丝问。

“我自己伸出翅膀就是一架小飞机。”野蜜蜂很自豪地说。

爱丽丝心想，其实在整个自然界，人虽然伟大，但是动物也很伟大。比如这只野蜜蜂，只有一双薄薄的翅膀，却能飞到各个地方。有时比人乘坐飞机还方便。

野蜜蜂对爱丽丝说：“我很希望有一个温暖的家，就像养蜂人的蜂箱和雨布帐篷，但是我也很喜欢这样到处流浪，四海为家，这是很自由也很长知识的旅行。如果真进了养蜂人的蜂箱，我就只是一个酿蜜的机器了。采花——酿蜜——采花——酿蜜，周而复始，直到生命终结。生命的意义似乎变得很肤浅。”

爱丽丝说：“我在家里给你放

一个蜂箱，你什么时候愿意走就走，愿意来就来，决不勉强你留下。这样你既有家又有自由，你看行吗？”

野蜜蜂很感动，它说：“我责任感很强，乐于为人奉献，也许为了责任我会放弃流浪，放弃自由。”

车厢里的人听了野蜜蜂的话，对这只小昆虫更加敬佩和格外高看一眼了。

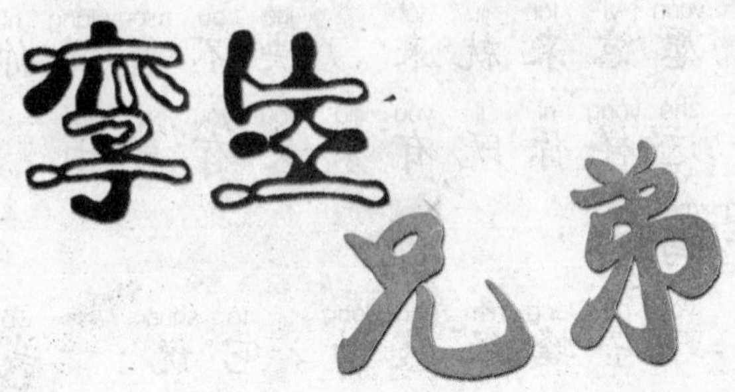

guǒ zhēn xiàng yě mì fēng shuō de nà yàng huǒ
果真像野蜜蜂说的那样，火
chē chuān guò wú rén qū tíng kào de zhàn jiù duō le
车穿过无人区停靠的站就多了。
ài lì sī hé xiǎo yě mì fēng zài yī gè sēn lín biān
爱丽丝和小野蜜蜂在一个森林边
shang de chéng shì xià chē
上的城市下车。

tā men shùn zhe lù biāo jìn cūn zài cūn kǒu
她们顺着路标进村，在村口
yù jiàn yī duì luán shēng xiōng di liǎng rén zhǎng de jiù
遇见一对孪生兄弟。两人长得就
xiàng bǐ cǐ de zhào piàn hěn nán qū fēn kāi lái
像彼此的照片，很难区分开来。
dàn shì ài lì sī hěn kuài jiù fēn qīng yī gè jiào tè
但是爱丽丝很快就分清一个叫特
wēi dé lìng yī gè jiào tè wēi dí yīn wèi tā
威德；另一个叫特威迪。因为他
men de yī lǐng shang xiù zhe zì mǔ
们的衣领上绣着字母。

ài lì sī xiǎng wèn liǎng xiōng di zěn yàng cái
爱丽丝想问两兄弟，怎样才
néng zhǎo dào lǚ guǎn tā hé yě mì fēng xū yào xiū xi
能找到旅馆，她和野蜜蜂需要休息。
yī tí dào lǚ guǎn ài lì sī hū rán xiǎng
一提到旅馆，爱丽丝忽然想
qǐ xiǎo hēi māo tā bǎ xiǎo hēi māo diū zài le xiǎo
起小黑猫，她把小黑猫丢在了小
shān qiū shang zhè me cháng shí jiān xiǎo hēi māo yī dìng
山丘上。这么长时间小黑猫一定
huì è sǐ bù è sǐ yě huì xià sǐ tā nà li
会饿死，不饿死也会吓死，它那里
yī gè shú rén dōu méi yǒu ài lì sī shāng xīn de
一个熟人都没有。爱丽丝伤心地
kuài kū le
快哭了。

tè wēi dé hé tè wēi dí gǎn jǐn bǎ ài lì
特威德和特威迪赶紧把爱丽

丝领到一个旅馆，安排服务员好好照顾爱丽丝。至于野蜜蜂，他们知道只要在花瓶里插一束花，它就吃住全解决了。

爱丽丝躺在舒适的房间里，还是惦记着小黑猫。野蜜蜂安慰她说：“小黑猫可能回家了，动物都有找到家的本领。”

第二天早晨，服务员给爱丽丝端来一杯牛奶，一盘三明治和一块面包。爱丽丝问服务员，野蜜蜂吃什么。服务员说：“它另有食谱。”

工夫不大，服务员把花瓶里换上一束沾着露珠的鲜花。野蜜蜂卧在鲜花里，先陶醉了一番。它

hǎo jiǔ méi yǒu yù dào zhè me měi lì xiān nèn de
好久没有遇到这么美丽、鲜嫩的
xiān huā le yě mì fēng jìn qíng xiǎng shòu zhe xiān huā
鲜花了。野蜜蜂尽情享受着鲜花
de fāng xiāng tā duì zì jǐ de shēng mìng hé zhí yè
的芳香。它对自己的生命和职业
hěn zì háo yǒu shuí néng yī bèi zi yǔ měi lì xiāng
很自豪，有谁能一辈子与美丽相
bàn yǐ fēn fāng wéi shí yǐ fèng xiàn wéi lè ne
伴，以芬芳为食，以奉献为乐呢？
zhǐ yǒu xiǎo mì fēng tè bié shì tā zhè zhī kuài lè
只有小蜜蜂，特别是它这只快乐
zì yóu de yě mì fēng
自由的野蜜蜂。

ài lì sī chī wán zǎo cān tā guò lái cuī
爱丽丝吃完早餐，她过来催
cù yě mì fēng bù yào guāng gù wán shǎng kuài xiē yòng
促野蜜蜂不要光顾玩赏，快些用
cān jīn tiān
餐。今天
tā men hái yǒu
她们还有
xǔ duō shì qing
许多事情
yào zuò
要做。

chī guò
吃过
zǎo cān tè wēi
早餐，特威
dé hé tè wēi
德和特威

dí lǐng zhe ài lì sī hé yě mì fēng zài cūn zhuāng li
迪领着爱丽丝和野蜜蜂在村庄里
zǒu le zǒu gào su tā men yī tiáo tōng wǎng wài jiè
走了走，告诉她们一条通往外界
de xiǎo lù
的小路。

tè wēi dé hé tè wēi dí yòu lǐng zhe tā men
特威德和特威迪又领着她们
lái dào yī gè lù tiān wǔ chǎng zhè lǐ yǒu xiē rén
来到一个露天舞场，这里有些人
zhèng zài tiào wǔ luán shēng xiōng di dōu yuē ài lì sī
正在跳舞。孪生兄弟都约爱丽丝

yī zhǎn wǔ zī ài lì sī zhǐ hǎo gēn tā men měi
一展舞姿，爱丽丝只好跟他们每
rén tiào le yī qǔ
人跳了一曲。

luán shēng xiōng di yǒu yī gè gòng tóng de tè diǎn
孪生兄弟有一个共同的特点，
jiù shì xīn guǎng tǐ pán tā men tiào qǐ wǔ xiàng
就是“心广体胖”。他们跳起舞像

zá hāng dōng dōng de zhèn tiān dòng dì ài lì sī
砸夯，咚咚的，震天动地。爱丽丝
zhǐ hǎo shuō zì jǐ tài lèi bù xiǎng tiào wǔ le
只好说自己太累，不想跳舞了。

nà me nǐ yī dìng xǐ huan shī gē wǒ
“那么，你一定喜欢诗歌，我
men gěi nǐ bèi sòng yī shǒu tè wēi dí qiǎng zài gē
们给你背诵一首。”特威迪抢在哥
gē qián mian bèi sòng
哥前面背诵：

tài yáng bǎ jīn zi hé yín zi
太阳把金子和银子
yī bǎ yī bǎ sǎ zài hǎi miàn shang
一把一把撒在海面上。
jīn zǐ hé yín zi biàn chéng làng huā
金子和银子变成浪花，
yī shù yī shù pū xiàng yú mín de chuán
一束一束扑向渔民的船。
yú mín sā xià mì mì de yú wǎng
渔民撒下密密的渔网，
shōu huò yī wǎng xiān huó de yú xiā
收获一网鲜活的鱼虾。
tā men wèn tài yáng gōng gong
他们问太阳公公，
nà yī bǎ yī bǎ jīn yín zài nǎ li
那一把一把金银在哪里。
rú guǒ yī wǎng lā shàng jīn yín
如果一网拉上金银，
zhuāng mǎn yú chuán nà gāi duō hǎo
装满渔船那该多好。
tài yáng gōng gong shuō
太阳公公说，

yú xiā jiù shì jīn yín
渔虾就是金银，
néng huàn huí měi hǎo shēng huó
能换回美好生活。
yú kuài de xīn qín láo zuò
愉快地辛勤劳作，
bù yào hài pà fēng chuī làng dǎ
不要害怕风吹浪打。
suí zhe yú chuán de fēng mǎn
随着渔船的丰满，
nǐ huì huò dé gāo shàng de huān lè
你会获得高尚的欢乐。
céng jīng yǒu yī gè gù shi
曾经有一个故事，
shuō de shì jīn yú hé yú mín
说的是金鱼和渔民。
jīn yú yuàn yòng jīn yín huàn huí zì yóu
金鱼愿用金银换回自由，
yú mín xiǎng yào jīn yín hé jīn yú
渔民想要金银和金鱼。
chén zhòng de wǎng zhuì luò yú mín
沉重的网坠落渔民，
hé shuǐ shàng kōng piāo zhe yú chuán
河水上空飘着鱼船。
qīng qīng de qīng qīng de shēng
轻轻地轻轻地生，
chén chén de chén chén de luò
沉沉地沉沉地落。
jīn yín guāng cǎi duó rén yǎn mù
金银光彩夺人眼目，
chén zhòng de fèn liàng chuán zhī nán zài
沉重的分量船只难载。

ruò zhēn gěi nǐ yī chuán jīn yín
若真给你一船金银，

fēng píng làng jìng yě zài bù huí jiā
风平浪静也载不回家。

zhēn zhèng de xìng fú shì láo dòng
真正的幸福是劳动，

jiù lián xiǎo mǎ yǐ yě zhī dào qí zhōng de dào li
就连小蚂蚁也知道其中的道理。

bié shē wàng bù láo ér huò
别奢望不劳而获，

nà huì yǔ zāi nàn wéi lín
那会与灾难为邻。

ài lì sī tīng wán tè wēi dí de shī, gǎn jué hěn yǒu qǐ fā。 tā gèng xiǎng kuài xiē huí jiā, yǒu yī xiē gōng kè hé shǒu gōng dōu méi zuò。 xiǎo hēi

爱丽丝听完特威迪的诗，感觉很有启发。她更想快些回家，有一些功课和手功都没做。小黑

猫现在又不知是死是活。她知道自己太好奇，本来就不该钻进镜子里，现在要回家需要费这么大

周折。

幸亏有一只野蜜蜂为伴。

爱丽丝告诉孪生兄弟，她必须马上离开这里，可是孪生兄弟说什么也不肯让她走。

弟弟特威迪说：“我又跟你跳

舞，又给你背诗，你还不想留下来，那么我们就领你去见森林王国的国王，只要它朝你吹一口气，你就会像蜡烛一样息灭。”

两兄弟果然把爱丽丝拉到森林王国的国王面前。国王正在呼呼大睡，特威德说：“你等它醒来，你就会消失。”特威迪也幸灾乐祸。

爱丽丝经历的事情多了，没有被孪生兄弟的话吓着。但是，她必须等国王醒来，听说它拿着通往外界小路的一扇小门的钥匙。

爱丽丝归心似箭，孪生兄弟知道森林王国的国王还要睡三个月，就答应从国王脖子上取下钥匙，送她们回家。

guó wáng shuì de hěn chén, ná yào shi yě méi
国王睡得很沉，拿钥匙也没
jīng xǐng tā. luán shēng xiōng di sòng ài lì sī tā men
惊醒它。孪生兄弟送爱丽丝她们
shàng le xiǎo lù, zuǒ zhuǎn yòu zhuǎn lái dào xiǎo mén qián.
上了小路，左转右转来到小门前。
gē ge tè wēi dé shuō: "wǒ men bù néng zài sòng nǐ
哥哥特威德说：“我们不能再送你
men le, nà yàng wǒ men jiù zhǎo bú dào huí lái de
们了，那样我们就找不到回来的
lù le."
路了。”

dì di tè wēi dí shuō: "huān yíng nǐ men zài
弟弟特威迪说：“欢迎你们再
lái zhè lǐ. sēn lín wáng guó de guó wáng shì yì tóu
来这里。森林王国的国王是一头
xióng, zhěng gè dōng tiān dōu shuì jiào. què qiè de shuō,
熊，整个冬天都睡觉。确切地说，
tā cóng xià jì yǐ hòu jiù shuì jiào, nǐ men lái zhè
它从夏季以后就睡觉，你们来这
lǐ hěn ān quán."
里很安全。”

ài lì sī gēn luán shēng xiōng di huī shǒu gào bié,
爱丽丝跟孪生兄弟挥手告别，
xiǎo yě mì fēng zài qián mian yǐn lù.
小野蜜蜂在前面引路。

ài lì sī hé yě mì fēng gāng zǒu chū jǐ bù,
爱丽丝和野蜜蜂刚走出几步，
jiù tīng shēn hòu yǒu zhēng chǎo shēng. luán shēng xiōng di liǎ
就听身后有争吵声。孪生兄弟俩
zhèng wèi yí jiàn jiù bō làng gǔ hù xiāng zhǐ zé.
正为一件旧拨浪鼓互相指责。

tè wēi dé shuō zuó tiān hái shì hǎo hǎo
特威德说：“昨天还是好好
de jīn tiān zěn me jiù huì rēng zài zhè li
的，今天怎么就会扔在这里？”

tè wēi dí shuō nǐ yǒu shén me gēn jù shuō
特威迪说：“你有什么根据说
shì wǒ rēng de zhēn shì yī gè huài dàn
是我扔的，真是一个坏蛋。”

luán shēng xiōng di chǎo zhe jiù sī dǎ zài yī qǐ
孪生兄弟吵着就撕打在一起。
ài lì sī kàn jiàn liǎng rén nǐ zhuā duì fāng de tóu fa
爱丽丝看见两人你抓对方的头发，
tā chě duì fāng de yī lǐng zuì hòu gǔn zài dì shang
他扯对方的衣领，最后滚在地上。
ài lì sī zhǐ hǎo fǎn huí qù bǎ xiōng di liǎ lā kāi
爱丽丝只好返回去，把兄弟俩拉开。

ài lì sī yǒu diǎn qiáo bu qǐ zhè liǎng gè nán
爱丽丝有点瞧不起这两个男

子汉，为一小点事情就打架。她说：“你们几岁了，害不害羞？”

两兄弟低下头，他们很抱歉影响了爱丽丝回家。

爱丽丝说：“我倒没什么，可是你们不能因为一点小事，就伤害兄弟感情。特别是孪生兄弟，其实你们是一个人分为两半，同样的长相，同样胖瘦，同样身高，同日生日，这有多难得，真该好好相处。”

孪生兄弟在爱丽丝的劝说下和好如初。他们互相揽着对方的脖子回到自己的住处。

爱丽丝这才想到，他们只有七周岁，是爱丽丝变得太小了，使

dé tā men cái gāo dà de xiàng nán zǐ hàn
得他们才高大的像男子汉。

ài lì sī hé yě mì fēng chóng xīn shàng lù
爱丽丝和野蜜蜂重新上路，
hū rán yī zhèn fēng guā guò luò xià yī kuài piào liang
忽然一阵风刮过，落下一块漂亮
de pī jiān
的披肩。

爱丽丝四处寻找，发现白方王后匆匆走来，真可以说王后是健步如飞。

“请问看见风刮走的一块披肩吗？”王后很有礼貌地问爱丽丝。

爱丽丝把披肩递给王后，她说：“您不认识我了，我曾经帮助过您和国王。”

王后似乎想起来了。她把披肩正了正说：“你是不是走得又渴

又累？我可以给你提供奶油和面包。”

爱丽丝说：“附近有花园吗？这只野蜜蜂要吸食花粉。”

白方王后领着爱丽丝走进自己的领地。野蜜蜂一看到鲜花就高兴地隐藏在花丛中。

王后的披肩直往下坠，爱丽丝用小别针给她别好。又把她乱蓬蓬的头发梳理整齐，使白方王

后和红方王后一样光彩照人。王后很感激爱丽丝，她说：“你留下来，给我当侍女，每天给你一个便士，还有上好的果酱，牛奶，面包。”

爱丽丝笑着说：“我不想当侍女，对吃的东西也不是很感兴趣。我只想快点回家去，看看小黑猫怎么样了。”

白方王后听说小黑猫丢了，就说一定是红方国王和王后捡走了。他们一直喜欢公爵夫人家的那只猫。

爱丽丝对白方王后的话将信将疑，因为她知道白方王后与红方王后势不两立，爱丽丝才不愿意介入她们之间的矛盾。

爱丽丝设法跟白方王后拉开距离，她有意识加快步伐。但是白方王后紧追不舍，说出来的话又是莫明其妙。白方王后对爱丽丝说：“喂，你跟我在一起隔一天有果酱吃。是隔一天，你明白吗？”

“我很糊涂，越听你的话越糊涂。”爱丽丝说。

白方王后不甘心，她向爱丽丝解释：“这就是倒着生活，这样

很有趣，你可以先知道结果，再去经历过程。”

“倒着生活，我从来没听说过。这样生活人的记忆怎么办，记忆也能倒进行吗？”爱丽丝说。

白方王后对爱丽丝说：“我的记忆是双向的，倒着正着都可以。”

爱丽丝反驳说：“我可不如你，我的记忆是单向的，我只能记住发生过的事情，没发生的事情我记不起来。”

白方王后很得意，她说：“我能记住下个星期的事，比如通信兵正在监狱里服刑，而审讯在下下个星期开始。”

“如果通信兵没有罪怎么办？”

爱丽丝问。

“没有罪状不进监狱。”白方王后说完就摆弄披肩。

爱丽丝感到白方王后的记忆出了毛病，她说：“别只顾摆弄披肩，还是纠正一下你的记忆，你记忆混乱。”

白方王后不管干什么或说什么，一直都在注意披肩，这可是国王送给她的生日礼物。谁得到它

jiù huì lìng guó wángchǒng ài suǒ yǐ nìng kě diū xìng
就会令国王宠爱，所以宁可丢性
mìng yě bù néng méi pī jiān
命，也不能没披肩。

bái fāng wáng hòu yī biān bǎi nòng pī jiān yī biān
白方王后一边摆弄披肩一边
shuō shēng huó kě yǐ dào zhe guò zhè yàng jì yì
说："生活可以倒着过，这样记忆
jiù shì shuāngxiàng de
就是双向的。"

ài lì sī bù dǒng bái fāng wáng hòu de huà
爱丽丝不懂白方王后的话：
shēng huó zěn me néng dào zhe guò ne nín néng jǔ gè
"生活怎么能倒着过呢？您能举个
shí lì ma
实例吗？"

bái fāng wáng hòu shuō bǐ rú shuō guó wáng de
白方王后说："比如说国王的
shì wèi zhèng zài jiān yù guān yā ér xià xīng qī shěn
侍卫正在监狱关押，而下星期审

讯，大下个星期才是他犯罪。这样双向记忆很有趣。

爱丽丝说：“本来没犯罪却要关起来，这是哪门子道理。你这倒着生活真是倒行逆施。”

白方王后对爱丽丝的指责一点也不脸红。

爱丽丝刚想再说什么，白方王后忽然大喊大叫，原来披肩上的别针扎破了她的手。王后一边甩着手指一边嗷嗷乱叫。

爱丽丝想替王后止血，她拿起一根细绳把王后的手指系起来。可是哪里有一点血？手指上连个小针眼也看不见。这时她才想起，白方王后和红方王后一样，根本不是血肉之躯，只是故作痛苦。

白方王后这下更加谨慎地呵护着披肩，等在国王举办的舞会上，尽显风采。她劝说爱丽丝留下来，陪她参加舞会。白方王后把整个舞会描绘得幸福无比。

爱丽丝说：“我这么小，还不被踩死吗？”

白方王后说：“不会，你看虽说我是王后，可是离了这披肩就只有一点点高，全靠这披肩才像个人。”

王后把披肩拿下来，身子立刻矮到爱丽丝的脚面上。爱丽丝这才明白，白方王后为什么把披肩看得比性命还重要。

爱丽丝对白方王后说："舞会上的人都有这样的披肩吗？"

"不是的，除了我之外别人都无此殊荣，所以我显得身材窈窕，最能博得国王的青睐。"

爱丽丝说："今年您多大年纪？"

白方王后回答："101岁。是不是我很老了？"

爱丽丝说："不老，你显得很年轻。"

ài lì sī zhèng gēn bái fāng wáng hòu shuō zhe huà
爱丽丝正跟白方王后说着话，
tū rán wáng hòu bù jiàn le ài lì sī shǐ jìn róu
突然王后不见了。爱丽丝使劲揉

róu yǎn jing zhēn shì bù míng bai tā zì jǐ zěn me
揉眼睛，真是不明白，她自己怎么
huì lái dào xiǎo shāng diàn lǐ
会来到小商店里。

zhè jiā xiǎo shāng diàn dēng guāng hūn àn jǐ pái
这家小商店灯光昏暗，几排
huò jià shang bǎi zhe yī xiē rì yòng pǐn yī zhī lǎo
货架上摆着一些日用品。一只老
shān yáng zuò zài fú shǒu yǐ lǐ zhī máo yī tòu guò
山羊坐在扶手椅里织毛衣，透过
dà dà de yǎn jìng wàng zhe ài lì sī xiǎo gū
大大的眼镜望着爱丽丝：“小姑
niang nǐ mǎi shén me
娘，你买什么？”

wǒ xiǎng kàn kàn yǒu shén me kě mǎi ài
“我想看看有什么可买。”爱

丽丝说。

老山羊似乎想起了什么，它大声说："我认识你，我们坐过同一趟火车，你是那没买车票的小姑娘。今天你是不是又故伎重演，不拿钱就来买东西。这是强盗行为，你快出去。不出去我要报警。"

老山羊直起身去拨电话。

爱丽丝只好退出商店。她很伤心，自己怎么会给人留下了这么坏的印象。

爱丽丝漫无目的的朝前走，前面有一只小船。小船孤单单地漂在小河湾。爱丽丝想："小船能把我送到对岸也许会离家近些。"这时候她比以往任何时候都想家。

ài lì sī tà shàng piāo you de xiǎo chuán huá
爱丽丝踏上飘悠的小船，划
zhe wǎng qián zǒu kāi shǐ shǒu zhōng de mù jiǎng yī diǎn
着往前走，开始手中的木桨一点
yě bù tīng huà ràng tā wǎng qián tā wǎng zuǒ ràng
也不听话，让它往前，它往左；让
tā wǎng zuǒ tā yòu wǎng yòu hòu lái ài lì sī
它往左，它又往右。后来，爱丽丝
zhǎo dào le guī lǜ xiǎo chuán jiù cháo qián zǒu le
找到了规律，小船就朝前走了。
hé miàn shang hěn jìng wēi fēng fú miàn dǎo yě qiè yì
河面上很静，微风拂面倒也惬意。

hū rán ài lì sī xiǎng qǐ yě mì fēng tā
忽然爱丽丝想起野蜜蜂，它
diū zài le bái fāng wáng hòu de yuàn zi li hǎo zài
丢在了白方王后的院子里。好在
tā shì zhī dào chù liú làng de yě fēng
它是只到处流浪的野蜂。

ài lì sī zé guài zì jǐ bù huì zhào gù bié
爱丽丝责怪自己不会照顾别
rén yòu diū xiǎo hēi māo yòu diū yě mì fēng tā
人，又丢小黑猫又丢野蜜蜂。她
xiǎng zhe xiǎng zhe yī cóng cóng dēng xīn cǎo chuǎng rù yǎn lián
想着想着，一丛丛灯心草闯入眼帘。

duō měi lì de dēng xīn cǎo ài lì sī
“多美丽的灯心草！”爱丽丝
shēn shǒu zhuā xiǎo chuán yī dòng jiù gòu bù zháo le
伸手抓，小船一动就够不着了。
tā bǎ xiǎo chuán xiàng qián huá dòng shēn shǒu yòu qù zhuā
她把小船向前划动，伸手又去抓
dēng xīn cǎo hū rán tīng dào yī gè qí guài de shēng
灯心草，忽然听到一个奇怪的声

音："嘿，别拔它们，那是我们栖息的被子。你睡觉不盖被子可以吗？"

爱丽丝抬头看去，是一群水鸟。她们长着美丽的羽毛。

水鸟们说："人们把我们从陆地赶到森林，又从森林赶到水里，

还要毁坏我们水中的家园吗？"

爱丽丝对水鸟们道歉说："我只是喜欢灯心草，并不知道它们对你们的生存这么重要。"

水鸟说："往后遇事多为别人

xiǎng xiǎng jiù xíng le zhè ge shì jiè bìng bù quán shǔ yú nǐ men rén lèi
想想就行了。这个世界并不全属于你们人类。”

ài lì sī zhī dào shuǐ niǎo de huà hěn yǒu dào li tā zài yī cì biǎo shì qiàn yì rán hòu huá zhe xiǎo chuán cháo qián zǒu qù
爱丽丝知道水鸟的话很有道理，她再一次表示歉意。然后划着小船朝前走去。

shuǐ niǎo men zài tā hòu mian shuō zhī cuò jiù gǎi nǐ shì wǒ men yù jiàn de hǎo rén shì wǒ men de péng you
水鸟们在她后面说：“知错就改，你是我们遇见的好人。是我们的朋友。”

ài lì sī bèi shuǐ niǎo de zhēn chéng dǎ dòng le
爱丽丝被水鸟的真诚打动了，

她再一次说："对不起，我不是有意要破坏你们的家园。"

水鸟们开始聚集在爱丽丝的小船旁，有的干脆站到小船的船弦上。水鸟们对爱丽丝说："你从很远的地方来吗？你要到哪里去？"

爱丽丝没法对水鸟说清自己从哪来。她不能说自己从一面镜子中来，水鸟们没有见过镜子。她一低头，看见自己水中的倒影，忽然计上心来，爱丽丝对水鸟们说："我从一大片水域来，要到另一条大河里去。"

果然，水鸟们兴奋起来，它们遇到了生活在水中的同类，而且这么漂亮。它们不知道爱丽丝身

上穿的是花裙子，以为也是和它们身上一样，是美丽的羽毛。水鸟们问爱丽丝，你为什么自己独自出来，没有鸟群吗？没有大雁那样的编队吗？你要去的大河有什么奇特的食物或是景色很美吗？

爱丽丝耐心地给水鸟们解答一个个问题。她想起在树林里，她的脖子缠在树枝上，鸽子硬是管她叫大蛇让她走开。鸽子不友好的态度戳伤了爱丽丝的心，今天看到这么多水鸟围着她，喜欢她，爱丽丝心情很激动。她对水鸟们说：“我还要赶路，谢谢你们的谅解，如果有机会，我想请你们到我家里坐客。就顺着这片水域

wǎng qián zǒu jiù dào le wǒ de jiā
往前走，就到了我的家。”

ài lì sī yī yī bù shě yǔ shuǐ niǎo men huī
爱丽丝依依不舍与水鸟们挥
shǒu gào bié
手告别。

ài lì sī bǎ xiǎo chuán huá dào duì àn tā
爱丽丝把小船划到对岸，她

zuò zài hé biān xiū xi kàn kàn shǒu xīn qǐ le yī
坐在河边休息，看看手心，起了一
gè hóng hóng de shuǐ pào zuān xīn téng
个红红的水泡，钻心疼。

tā yòng yī gè xiǎo bié zhēn xiǎng tiāo kāi shuǐ pào
她用一个小别针想挑开水泡，
shì le shì jiù shì bù gǎn xià shǒu tā liǎo jiě zì
试了试就是不敢下手。她了解自
jǐ jiāng lái dāng bù liǎo wài kē yī shēng tā qīng
己，将来当不了外科医生。她轻

轻按手上的水泡，一鼓一鼓像青蛙的肚子。

这时一只豪猪爬过来，爱丽丝一伸脚，它全身的芒刺全都竖起来。爱丽丝不想伤害任何动物，她把脚抬起来，想让豪猪过去。可是豪猪却停下来，收起身上的刺，变得异常温顺。

爱丽丝说：“你有事情需要我帮助？”

豪猪点点头。它说：“我想离开这里，这河水中有一种毒素，影响到河岸的草和小虫子，我吃下它们就恶心。”

“你是说让我带你走？”爱丽丝问。

háo zhū yòu diǎn diǎn tóu. tā jì xù shuō:
豪猪又点点头。它继续说：

"nǐ men kě néng bù xǐ huan wǒ shēn shang de cì, kě wǒ men shì yì chóng lèi de dòng wù, wǒ men yīng dāng shòu bǎo hù."
"你们可能不喜欢我身上的刺，可我们是益虫类的动物，我们应当受保护。"

"wǒ zěn me dài nǐ zǒu ne?" ài lì sī yǒu xiē wéi nán.
"我怎么带你走呢？"爱丽丝有些为难。

"nà yǒu yī kuài pī jiān, wǒ tuán qǐ lái, nǐ yòng tā bǎ wǒ guǒ shàng bào zài huái lǐ, wǒ bù huì zhā nǐ." háo zhū shuō.
"那有一块披肩，我团起来，你用它把我裹上抱在怀里，我不会扎你。"豪猪说。

ài lì sī zhēn de kàn jiàn bái fāng wáng hòu de
爱丽丝真的看见白方王后的

pī jiān luò dào zhè lǐ bù xíng pī jiān yī guǒ
披肩落到这里。“不行，披肩一裹
nǐ jiù huì biàn dà wǒ bào bù dòng zhè kuài pī
你就会变大，我抱不动。这块披
jiān shì bái fāng wáng hòu de zhì ài zhī wù hái shì
肩是白方王后的至爱之物，还是
děng tā lái qǔ ba
等她来取吧。”

ài lì sī yòng jǐ piàn dà shù yè bǎ háo zhū
爱丽丝用几片大树叶把豪猪
bāo qǐ lái cháo qián zǒu qù ài lì sī yī biān
包起来，朝前走去。爱丽丝一边
zǒu yī biān yǔ háo zhū jiāo tán ài lì sī shuō
走一边与豪猪交谈。爱丽丝说：
nǐ men háo zhū yě hài pà huán jìng wū rǎn ma
“你们豪猪也害怕环境污染吗？
nǐ men shēn shang zhǎng zhe hěn duō cì huì pà shuí ne
你们身上长着很多刺会怕谁呢？”

háo zhū shuō bù shì wǒ men shēn shang yǒu cì
豪猪说：“不是我们身上有刺
jiù shén me yě bù pà qí shí wǒ men shì cuì ruò
就什么也不怕，其实我们是脆弱

de dòng wù wǒ men shēn shang de cì shì yòng lái xià
的动物，我们身上的刺是用来吓
hu bié rén bǎo hù zì jǐ de rú guǒ yǒu huài rén
唬别人，保护自己的，如果有坏人
zhī dào le wǒ men de mì mì wǒ men shēn shang de
知道了我们的秘密，我们身上的
cì jiù shī qù le wēi lì wǒ men jiù huì zāo shòu
刺就失去了威力，我们就会遭受
qī líng zhì yú huán jìng wū rǎn jiù gèng kě pà le
欺凌。至于环境污染就更可怕了，
wǒ men jiā zú céng jīng bān guò hěn duō cì jiā jiù
我们家族曾经搬过很多次家，就
shì yīn wèi huán jìng wū rǎn zuì jìn wǒ de fù mǔ
是因为环境污染。最近我的父母
xiōng di dōu dé chuán rǎn bìng sǐ le shèng xià wǒ yī
兄弟都得传染病死了，剩下我一
gè hěn gū kǔ suǒ yǐ hěn xiǎng lí kāi zhè li
个很孤苦，所以很想离开这里。”

ài lì sī duì háo zhū ān wèi shuō wǒ huì
爱丽丝对豪猪安慰说：“我会
bǎ nǐ dài dào yī gè gān jìng de dì fang nà li
把你带到一个干净的地方，那里
méi yǒu gōng chǎng pái xiè de wū shuǐ méi yǒu rén men
没有工厂排泄的污水，没有人们
zhì zào de gōng yè lā jī nà li shì bái yún lán
制造的工业垃圾。那里是白云蓝
tiān huā xiāng niǎo yǔ nà li shì xīn qín láo zuò shì
天花香鸟语，那里是辛勤劳作，是
dú shū lǎng lǎng shì chuī yān niǎo niǎo
读书朗朗，是炊烟袅袅。”

xiǎo háo zhū tīng le ài lì sī de huà fēi cháng
小豪猪听了爱丽丝的话非常

高兴，它对爱丽丝说：“你真是我的救命恩人，但是你说的这样好的地方在哪里，很远吗？”

爱丽丝说：“具体有多远，我也不知道，反正我们这样一直朝前走，准能走到。”

“你不会走累了就把我抛弃吧？”小豪猪问爱丽丝。

“不会的，我从来不抛弃朋友，既然我们相识了，就应该互相帮助。”爱丽丝用手拍拍怀里的小豪猪，请它放心。爱丽丝想起白方王后倒着生活的说法，当时爱丽丝反感至极，现在想起来又不是绝对不可行。如果人们先知道了结果后，就会便于选择，所有的

guò chéng yě jiù biàn de gèng jiā yǒu dòng lì
过程也就变得更加有动力。

ài lì sī yǔ xiǎo háo zhū lù guò yī gè shāng
爱丽丝与小豪猪路过一个商
diàn tā xiǎng gěi xiǎo háo zhū mǎi xiē dōng xi suǒ yǐ
店，她想给小豪猪买些东西，所以
jiù bào zhe xiǎo háo zhū jìn le shāng diàn shāng diàn li
就抱着小豪猪进了商店。商店里
hěn hēi shù zhe yī pái pái huò jià huò jià shang yǒu
很黑，竖着一排排货架，货架上有
jī dàn děng shāng pǐn ài lì sī yuè wǎng shāng diàn li
鸡蛋等商品。爱丽丝越往商店里
mian zǒu xīn li yuè nà mèn wèi shén me yī gè shòu
面走，心里越纳闷，为什么一个售
huò yuán kàn bù jiàn ne jí shǐ shì chāo shì yě zǒng
货员看不见呢？即使是超市，也总
yǒu shòu huò yuán zài yī páng bāng zhù gù kè xuǎn dōng xi
有售货员在一旁帮助顾客选东西，
dǎ bāo bān yùn xiàn zài zhè ge shāng diàn yī gè
打包，搬运。现在这个商店一个

人也没有。

爱丽丝看见一个很大的鸡蛋，她伸手想从货架上取下来，但是她越往前探身子，鸡蛋离她越远。爱丽丝一着急，险些摔倒，她伸手抓住了一棵树。真是奇怪，货架变成了树林，四周全是树。爱丽丝不敢对小豪猪说什么，她只好抱着小豪猪从商店退出来。

现在，爱丽丝很想知道前面的路怎么走，她抱着小豪猪真有些累了。但是爱丽丝说话算数，决不抛弃小豪猪。

墙头上的哈德

爱丽丝就像平时抱小黑猫那样，双手抱着豪猪。豪猪比小黑猫重得多，爱丽丝走一阵子就把它放在一个高一点的地方歇歇。

爱丽丝又一次把豪猪放在一个矮墙头上，她挺直身子，长长舒了一口气。抬头一看，矮墙头的另一端坐着一个胖墩墩的男孩，约有六七岁。男孩看见爱丽丝放下一个树叶包裹，里面还在慢慢

动弹，就伸着脖子想看个究竟。

爱丽丝说："你想知道里面是烤鸭还是烤鹅吗？我一打开你准会失望。这里头是一只豪猪，就是人们常说的刺猬。"

听说是一只刺猬，小胖墩从矮墙头一点一点挪过来，非要看看有多大，身上的刺长不长？

爱丽丝说："你要先告诉我，你叫什么名字？"

胖男孩告诉爱丽丝，他叫哈德，也有人叫他胖墩哈德。他还告诉爱丽丝，自己是一个圆蛋变出来的。

爱丽丝笑了。她说："你怎么是圆蛋变的，那不成了鸡、鸭、鹅

了，哪还是个男孩？”

哈德说：“我本来就是圆蛋变的，是我妈亲口对我讲的。而且说是我爸爸从河北捡回来一个大大的圆蛋，放在被子里就钻出一个胖男孩。就是我哈德。”

爱丽丝更笑了。她对哈德说：“这些话都是大人们欺骗小孩子编的瞎话。其实每个小孩子都是从妈妈肚子里生出来的。

胖墩哈德摇摇头，他不相信

妈妈会编瞎话骗人。因为妈妈常告诉他要做一个诚实的孩子。

爱丽丝不再和哈德讨论人和蛋的问题，她知道哈德太小，弄不清大人的玩笑话。

哈德挺喜欢豪猪，他让爱丽丝把它放在地上，解开裹着的树叶。豪猪的芒刺立刻都竖起来。后来见四周没有动静，就收起芒刺，变成一个浅棕色的圆球。

哈德找来一根小木棍，往豪猪身上一碰，豪猪又把芒刺竖起来。哈德的恶作剧反反复复上演，豪猪只好变成一个圆球滚动着离开这里。

爱丽丝斥责哈德不懂得保护

动物，哈德说：“它们总归要被老鼠吃掉。我们院子里有一只豪猪，让老鼠吃得只剩下一张皮。

爱丽丝说：“豪猪满身是刺，老鼠怎么下嘴咬它呢？”

哈德说：“就像我这样一只老鼠去用爪子逗豪猪竖起刺，另一些老鼠就从刺当中咬它的肉。伤口多了，豪猪只顾疼就失去了自卫的能力，最后让老鼠吃掉。”

“你看见老鼠吃豪猪，为什么不帮助它？见死不救犯法。”爱丽

丝说。

“我没看见，是听别人这么说的。”哈德争辩。

“反正我看你对动物没什么感情。你还说自己是一个圆蛋变的，这样你应该跟动物更亲近才对呀。”爱丽丝对哈德说。

哈德有些不好意思，爬上墙

头最高处，两腿自然下垂，摇摇晃晃装起国王来。爱丽丝怕他一不注意掉下来摔伤，就耐心劝他下来。哈德却说：“国王是摔不死的，顶多再变回一个圆蛋。”

爱丽丝知道自己言语过激了，她只好给哈德道歉。她对哈德说：“我在森林边上的村庄遇见过一对孪生兄弟，他们会背好听的诗，你能给我背一首吗？”

哈德听了很高兴，他刚跟妈妈学了一首诗，很想背给爱丽丝听。

“春天田野换上绿装，
你可知道我的梦想？
夏季田野飘着花香，
你可听到我的歌唱？

秋天田野收割繁忙，
你可知道我的惆怅？
冬天的田野雪花飘扬，
你可知道我的向往？

爱丽丝听胖墩哈德抑扬顿挫朗诵得很好，直向他鼓掌。哈德更来了兴致，他说：“我还会朗诵一段《小金鱼》，你听吗？”

爱丽丝说：“我最喜欢诗，我洗耳恭听。”

胖墩哈德拿出了演员的架势：

一条金黄的小金鱼，
住在圆圆的鱼缸里。
每天除了吃饭就是休息，
养得一副肥胖身躯。
主人想拿它去做红烧鱼，

xià de xiǎo jīn yú cáng zài gāng dǐ
吓得小金鱼藏在缸底。
tā shuō nǐ kàn wǒ zhè liǎng zhī pào yǎn
它说你看我这两只泡眼，
zěn me néng shàng dà yǎ zhī xí
怎么能上大雅之席？

ài lì sī shuō zhè jiù bèi wán le
爱丽丝说：“这就背完了？”
pàng dūn hā dé shuō jiù zhè xiē bèi wán le
胖墩哈德说：“就这些，背完了。”
ài lì sī zǐ xì kàn kàn hā dé shuō
爱丽丝仔细看看哈德，说：

nǐ shì gè liǎo bu qǐ de xiǎo nán hái jiāng lái yǒu kě néng chéng wéi yī gè shī rén
“你是个了不起的小男孩，将来有可能成为一个诗人。”

hā dé xiào le pàng pàng de yuán liǎn shang yǒu liǎng gè yuán yuán de jiǔ wō ài lì sī zhēn yǒu xiē xiāng xìn tā shì yuán dàn biàn chū lái de pàng nán hái
哈德笑了，胖胖的圆脸上有两个圆圆的酒窝。爱丽丝真有些相信，他是圆蛋变出来的胖男孩。

“唉呀，不好，小豪猪不见了！”胖墩哈德喊。

爱丽丝四处找，怎么也找不到。小豪猪就像钻到了地里，无影无踪。爱丽丝很伤心，她丢了小黑猫、野蜜蜂，又丢了小豪猪。她想起自己对小豪猪的承诺：“永远不抛弃它。”现在自己食言了，无意中抛弃了小豪猪。

爱丽丝无心再留在这里，她对胖墩哈德说：“我不是一个好朋友，我还是早点离开这里，回去找我的小黑猫。”

胖墩哈德看爱丽丝伤心的样子，说：“一只豪猪算什么？我下到庄稼田里可以给你找好几只。”

爱丽丝睁大眼睛，尽量不让眼泪流出来。她说：“关键是我总忘记照顾小动物，丢了这个又丢那个。”

胖墩哈德突然说：“我该回家了。”说完跟爱丽丝摆摆手就飞快地跑了。

爱丽丝心想，这个刚熟悉的小伙伴也算丢了。不知以后还能不能见面。

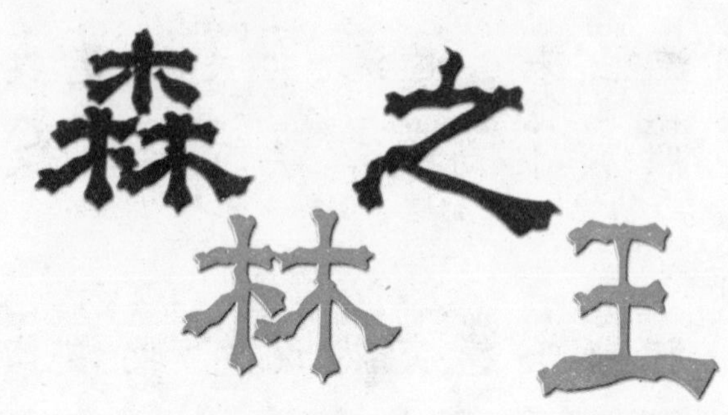

森林之王

ài lì sī zhèngwàng zhe pàng dūn hā dé de bèi
爱丽丝正望着胖墩哈德的背
yǐng chū shén hū rán tīng dào zhèn tiān dòng dì de xiǎngshēng
影出神，忽然听到震天动地的响声。
zhǐ jiàn yī xiē shì bīng dōng dōng de pǎo guò lái
只见一些士兵咚咚地跑过来，
bǎ zhěng gè shù lín dōu zhàn mǎn le ài lì sī pà
把整个树林都站满了。爱丽丝怕
bèi fā xiàn jiù tǎng jìn yī kē dà shù de shù dòng
被发现，就躺进一棵大树的树洞。
xìng hǎo tā zhǐ yǒu èr shí jǐ yīng cùn yào bù rán
幸好她只有二十几英寸，要不然
shù dòng shì zuān bù jìn qù de
树洞是钻不进去的。

ài lì sī kàn jiàn zhè xiē shì bīng yǔ zhòng bù
爱丽丝看见这些士兵与众不
tóng tā men zǒu lù dōng dǎo xī wāi yī gè rén
同，他们走路东倒西歪。一个人
dǎo xià qí tā de rén yě xiàngzhòng le mó shì de dǎo
倒下其他的人也像中了魔似的倒

下。后面又来了一队骑兵，骑兵队伍像士兵一样整齐，只是骑兵的一匹马倒下，所有的马也像中魔一样倒下。

爱丽丝想："这些士兵和骑兵不知从何而来，还是躲开更安全。"

爱丽丝刚想钻出树洞，忽然看见洞口坐着一个穿皮毛大衣的人。她伸出头来一看，吓得直伸舌头。哪里是一个穿皮大衣的人？

分明是一头毛乎乎的大狮子。

爱丽丝感觉自己身体更小了，她大气都不敢出一声。狮子像走路累了，坐在洞口长时间不动。这下苦了爱丽丝，不知要等到何时。

爱丽丝心想："反正我在洞里，你这么大的身体钻不进来，如果你伸进爪子来抓我，我就用别针扎你。"爱丽丝悄悄把头上的别针取下来，掰直，还真像一根缝衣针。

狮子歇够了，起身朝前走去。爱丽丝高兴得差点叫出来："老天爷，我可不需要你这样的警卫，快走，走得越远越好。"

狮子走了，爱丽丝急着从树

洞里钻出来，她思考着自己下一站要到哪里去？

“喂，小姑娘，你看见我的通讯兵和骑兵在前面吗？”一个人问爱丽丝。

爱丽丝一回头，吓得口呆目瞪。这是一个长着一只冲天触角的怪物。它的脸像驴，眼睛像牛，身体像豹子。跑起来一定很快。爱丽丝用颤抖的声音回答：“都在

qián mian de shù lín li
前面的树林里。”

shì bù shì shī zi yě zài tā men zhōng jiān
“是不是狮子也在他们中间。”

bù tā gāng cóng zhè lǐ guò qù ài lì sī shuō
“不，它刚从这里过去。”爱丽丝说。

guài shòu shuō shī zi hé wǒ dōu shì sēn lín zhī wáng dàn shì yī piàn lín zi bù néng yǒu liǎng gè wáng
怪兽说：“狮子和我都是森林之王，但是一片林子不能有两个王。”

nà nǐ men zěn yàng fēn shèng fù ne
“那你们怎样分胜负呢？”

wǒ men kàn shuí xiān yōng yǒu tōng xùn bīng hé qí bīng shī zi xiān xíng le yī duàn wǒ yào kuài qù zhuī tā
“我们看谁先拥有通讯兵和骑兵。狮子先行了一段，我要快去追它。”

怪兽说完就朝前跑去。

怪兽走后，爱丽丝还惊魂未定。她把身体靠在树上，长长地呼了几口气，慌乱的心才平静下来。

爱丽丝起身朝树林中的一条小路走去，忽然听到身后有人叫她：“喂，小姑娘，请你等一等，你的手帕丢了。”

爱丽丝回头一看，身后是红方国王。国王一边跑一边喊，几次踉踉跄跄要摔倒。爱丽丝赶紧停下脚步。

国王喘着粗气追上爱丽丝，他手中拿着一块非常好看的绣花手帕。国王说：“这是你的手帕，对不对？”

ài lì sī kàn le yī yǎn shuō bù bù
爱丽丝看了一眼说："不，不
shì wǒ de
是我的。"

guó wáng shuō zhè piàn sēn lín zài méi kàn dào
国王说："这片森林再没看到
qí tā nǚ hái zhè kuài huā shǒu pà huì shì shuí diū de
其他女孩，这块花手帕会是谁丢的？"

ài lì sī shuō wǒ hěn xǐ huan zhè kuài huā
爱丽丝说："我很喜欢这块花
shǒu pà dàn shì tā bù shì wǒ de dōng xi wǒ bù
手帕，但是，它不是我的东西我不

huì mào rèn
会冒认。"

guó wáng tū rán xiào le tā shuō xiǎo gū
国王突然笑了，他说："小姑
niang nǐ shì yī gè chéng shí de hái zi zhè kuài shǒu
娘，你是一个诚实的孩子，这块手
pà shì wáng hòu yòng lái kǎo yàn rén de nǐ kàn shàng
帕是王后用来考验人的，你看上

面的花卉都是用金线、银线绣出来的。”爱丽丝说：“王后为什么考验人？”

国王说：“王后要举办一场王室成员和普通百姓的槌球赛，必须挑选容貌、人品具佳的人进入王宫。像狮子和独角兽这样整日称王称霸的人不能参加比赛。”

爱丽丝心想：“谁愿意参加那种连规则都没有的槌球游戏？王后在一边不时要砍头，不时又要判刑，闹得参赛的人心惊胆颤。”

国王仿佛看透了爱丽丝的疑虑，他说：“这次比赛请了最公正的裁判，谁也不能随便发号施令。”

爱丽丝只想快回家看看，小

黑猫现在是否已安全到家？她婉言谢绝了国王的邀请，自己朝着认定的方向走去。

忽然，前面传来撕打和吼叫声，不好，一定是狮子和独角兽为争夺通讯兵和骑兵打起来了。爱丽丝不敢朝前走，她又重新回到树洞前。可是，树洞里已盛满了黏糊的树胶。幸亏爱丽丝没有贸然往里进，否则非永远被固定在树洞里不可。

爱丽丝又困又饿，她看看洞里的树胶真像黄油。她想起早晨吃的面包、果酱、黄油，嘴里快流出口水了。

爱丽丝用手抹了一点树胶放

在鼻子下闻了闻，有一点香甜味。爱丽丝大胆地用舌尖舔了一点，味道像果酱又像黄油。她想吃一口，看看会怎么样。

“喂，小姑娘，别吃树胶，会把你的肠子粘上。”怪兽不知啥时站在了爱丽丝身旁，爱丽丝吓得头发根子发麻。

爱丽丝说：“我饿了，又找不到其他食物，就想尝一尝树胶的味道。”

独角兽说："别害怕，我这里有真的果酱和面包。"独角兽把一块大蛋糕从背上的口袋里拿出来，随后又取出瓶子、盘子、餐刀。爱丽丝不明白，一个小口袋里怎么会装这么多东西？就像变魔术一样。

爱丽丝看着怪兽不敢伸手去接，怪兽有些生气。它说："我长得怪，但是不欺负弱者，我的敌人是狮子。你吃吧，吃饱了我也不会吃你。"

爱丽丝将信将疑，反正饿了，就索性吃饱再说。她一口气吃下半块蛋糕，足足有平时三顿的食物。

独角兽对爱丽丝说："我喜欢人们把我看成真实的朋友。最反

duì shuí shuō wǒ shì shén huà lǐ cún zài de dōng xi
对谁说我是神话里存在的东西，
zhè yàng wǒ jiù xiǎn de hěn xū jiǎ
这样我就显得很虚假。”

ài lì sī shuō nǐ hěn zhēn shí yě hěn zhēn
爱丽丝说：“你很真实也很真
chéng guài shòu tīng le xīn li měi zī zī de tū
诚。”怪兽听了心里美滋滋的。突

rán dú jiǎo shòu bǎ ài lì sī lā dào yī kē shù hòu
然独角兽把爱丽丝拉到一棵树后
mian duǒ qǐ lái
面躲起来。

ài lì sī kàn jiàn shī zi yáo yáo huànghuàng zǒu
爱丽丝看见狮子摇摇晃晃走
guò lái yī fù pí bèi bù kān de yàng zi
过来。一副疲惫不堪的样子。

shī zi zài shù dòng qián tíng xià lái tā tóng
狮子在树洞前停下来，它同
yàng wén dào le yòu xiāng yòu tián de shù jiāo shēn chū
样闻到了又香又甜的树胶，伸出
zhuǎ zi qù zhuā jié guǒ shù jiāo zhān de mǎn zhuǎ zi
爪子去抓，结果树胶粘得满爪子

都是，而且两只爪子越是互相抓挠越黏糊。胶一干，两只爪子硬得握不上拳，直直地像树枝子。

狮子苦恼地乱吼。独角兽从树后面出来，它说：“你虽然得到了那些通讯兵和骑兵，但是你成不了森林之王，因为你没思想，遇事盲目乱闯。”

狮子垂下了头。

àilìsī quàn shuō dú jiǎo shòu, bāng zhù shī
爱丽丝劝说独角兽，帮助狮
zi bǎi tuō shù jiāo zhān zhù zhuǎ zi de fán nǎo. dú
子摆脱树胶粘住爪子的烦恼。独
jiǎo shòu duì ài lì sī shuō: "zhè yào kàn shī zi yǒu
角兽对爱丽丝说："这要看狮子有
méi yǒu chéng yì yǔ wǒ hé hǎo?"
没有诚意与我和好？"

shī zi xiàn zài zhǐ yào néng bǎ shù jiāo cóng zhuǎ
狮子现在只要能把树胶从爪
zi shang qù diào, tā yuàn yì dā ying dú jiǎo shòu de
子上去掉，它愿意答应独角兽的
rèn hé tiáo jiàn. tā cháo ài lì sī kěn qiú shuō:
任何条件。它朝爱丽丝恳求说：
"wǒ kě yǐ hé dú jiǎo shòu gè zhàn bàn biān sēn lín,
"我可以和独角兽各占半边森林，
huò shì wǒ lí kāi zhè li, dào bié de sēn lín qù
或是我离开这里，到别的森林去
ān jiā."
安家。"

爱丽丝把狮子的话告诉了独角兽。独角兽想了想说："好吧，你帮我去找一块又薄又锋利的玻璃，马上就能让狮子恢复原样。"

爱丽丝想在森林里找到一块玻璃很不容易。她一边走一边用目光在地上搜寻。突然听见一个男人的声音："站住，你被俘虏了！"随着话音，一个身披白风衣的男人从马上跳下来。

"你叫什么名字，为什么长得这么小？"穿白风衣的男人问爱丽丝。

"我为什么要回答你？我又不认识你。"爱丽丝说完继续往前走。

"站住，这里是我的领地，凡

shì dào zhè lǐ de rén hé yě shòu dōu shì wǒ de fú
是到这里的人和野兽都是我的俘
lǔ chuān bái fēng yī de nán rén bǎi nòng zhe shǒu zhōng
虏。”穿白风衣的男人摆弄着手中
de yī zhī cháng jiàn shuō
的一支长剑说。

lián shī zi hé dú jiǎo shòu yě yào shùn cóng
“连狮子和独角兽也要顺从
nǐ ma ài lì sī fǎn wèn
你吗？”爱丽丝反问。

chuān bái fēng yī de nán rén shuō nán dào nǐ
穿白风衣的男人说：“难道你
méi tīng shuō guò wǒ hěn yǒng měng céng jīng dǎ bài guò
没听说过我很勇猛，曾经打败过
hěn duō rén ma
很多人吗？”

ài lì sī yáo yáo tóu shuō duì bu qǐ
爱丽丝摇摇头说：“对不起，
wǒ bù xǐ huan dǎ zhàng zhǐ xǐ huan huā cǎo hé xiǎo
我不喜欢打仗，只喜欢花草和小

动物，所以我对你的战绩一无所知。”

穿白风衣的男人很失望，看来自己的名气不够大。他想办法要让这个小姑娘看到他的确是个英雄。于是他脱掉白风衣，露出一身青铜铠甲，然后扬鞭催马向前奔。铠甲发出的金属碰撞声，就像火钳敲打炉壁发出的响声一样悦耳动听。

爱丽丝对穿白风衣的人说：“你真像古代的勇士，请告诉我，你叫什么名字？”

“别人都叫我白衣宠儿，因为我是白方国王的儿子。”

爱丽丝说：“你能帮助狮子把爪子上的树胶去掉吗？独角兽让

我找一块玻璃，不知道有什么用场。”

白衣宠儿重新披上白风衣，他想了想说：“我有办法，也知道独角兽为什么让你找玻璃，它一定是想用玻璃吸收和反射太阳光，达到一定温度后，让狮子爪子上的树胶融化。”

爱丽丝听白衣宠儿的说法很有道理，她请求白衣宠儿一同返回狮子和独角兽呆的地方。白衣

chǒng ér xiǎng le xiǎng dā ying le ài lì sī yīn wèi
宠儿想了想答应了爱丽丝。因为
tā de xíng dài zhōng jiù yǒu yī gè bō li pán zi
他的行袋中就有一个玻璃盘子，
shì píng shí chéng dàn gāo yòng de
是平时盛蛋糕用的。

bái yī chǒng ér bǎ pán zi cóng yī gè xiǎo mù
白衣宠儿把盘子从一个小木
xiāng ná chū lái
箱拿出来。

bái yī chǒng ér pà ài lì sī bù xiāng xìn tā
白衣宠儿怕爱丽丝不相信他
de bàn fǎ yǒu xiào jiù ràng ài lì sī shēn chū shǒu
的办法有效，就让爱丽丝伸出手

试一下。

白衣宠儿拿着玻璃盘子，把凹出的底部面向着太阳，然后把透出的光斑对准爱丽丝的手背。不长时间，爱丽丝就热得受不了，如果长时间照射，手上的皮非灼伤不可。

爱丽丝知道这是个好办法，就和白衣宠儿一同跨马前去解救受煎熬的狮子。他们临走时，把盛玻璃盘子的小木箱挂在树上，如果有野蜜蜂经过，就可以当成临时的家来休息酿蜜。

爱丽丝说：“我丢过一只野蜜蜂，希望它能落脚在这里。”

白衣宠儿和爱丽丝边走边聊

天。白衣宠儿问爱丽丝："今后你有什么打算，想不想当王后？"

爱丽丝说："谁不想当王后，可是我现在的身材有些矮。"

白衣宠儿说："如果你想参选王后，我会帮助你改变身高。将来你当上王后，别忘了有我一份功劳。"

爱丽丝说："我不知道去什么地方参选王后，也没有美丽的衣裳。"

白衣宠儿说："这不难，你一直朝前走，看到白方国的界碑，就会有侍女把你接进去，换上漂亮的衣服。"

"那谁去解救狮子？"爱丽丝说。

"当然是我——善良勇敢的白衣宠儿。"

爱丽丝与白衣宠儿分手后，独自朝前走。她满脑子都是关于竞选王后的事情。她想，如果真能选上王后，一定要像爱护自己的亲人一样爱护臣民，决不乱开杀戒。

爱丽丝刚走几步，就听身后

yǒu mǎ tí shēng tā huí tóu yī kàn shì bái yī
有马蹄声。她回头一看，是白衣
chǒng ér dào qí zhe mǎ guò lái shēn tǐ zài mǎ shàng
宠儿倒骑着马过来，身体在马上
zuǒ yòu yáo dòng bǐ xīn qí shǒu hái biè niu bái
左右摇动，比新骑手还别扭。白
yī chǒng ér lái dào ài lì sī shēn biān tóu cháo xià
衣宠儿来到爱丽丝身边，头朝下
zāi xià lái xìng kuī shù yè hěn hòu bái yī chǒng
栽下来。幸亏树叶很厚，白衣宠
ér de é tóu cái méi yǒu zháo dì ài lì sī zhè
儿的额头才没有着地。爱丽丝这
cái kàn qīng tā qí de shì mù mǎ
才看清，他骑的是木马。

bái yī chǒng ér yǒu xiē bù hǎo yì si tā
白衣宠儿有些不好意思，他
shuō zhè mù mǎ bǐ huó mǎ chà bu liǎo duō shǎo dǎ
说“这木马比活马差不了多少，打
zhàng shí yī yàng qǔ shèng jiù shì bù huì zhuǎn wān
仗时一样取胜，就是不会转弯，
xiàng qián zhèng zhe qí xiàng hòu jiù dào zhe qí mù
向前正着骑，向后就倒着骑。木
mǎ hái bù yòng wèi cǎo liào gèng jīng jì shí huì
马还不用喂草料，更经济实惠。”

bái yī chǒng ér shuō huà shí yī běn zhèng jīng
白衣宠儿说话时一本正经，
ài lì sī bù gǎn fā xiào tā zhǐ shuō nǐ de
爱丽丝不敢发笑。她只说：“你的
é tóu méi shòu shāng jiù hǎo
额头，没受伤就好。”

bái yī chǒng ér shuō wǒ de é tóu hěn
白衣宠儿说：“我的额头很

yìng méi yǒu jiān yìng fēng lì de dōng xi shì bù róng
硬，没有坚硬锋利的东西是不容
yì pèng pò de
易碰破的。”

bái yī chǒng ér shuō wán huà cóng yī dài lǐ
白衣宠儿说完话，从衣袋里
tāo chū yī tiáo hǎo kàn de pī jiān tā bǎ pī jiān
掏出一条好看的披肩。他把披肩
pī zài ài lì sī jiān shang ài lì sī dùn shí biàn
披在爱丽丝肩上，爱丽丝顿时变
chéng yī gè yǎo tiǎo shū nǚ
成一个窈窕淑女。

ài lì sī jīng yà de shuō zhè shì hóng fāng
爱丽丝惊讶地说：“这是红方
wáng hòu de pī jiān zěn me huì zài nǐ shǒu li
王后的披肩，怎么会在你手里？”

白衣宠儿回答：“这是战利品，送给你正合适。这块披肩会带给你好运。”说完，白衣宠儿策马离去。这次因为是向前，所以正着骑马。

爱丽丝把披肩取下来，让自己的身高又恢复到20英寸。她小心翼翼把披肩放进上衣口袋，然

hòu jì xù wǎng qián zǒu
后继续往前走。

zhè shí hóng fāng guó wáng bù zhī cóng shén me dì
这时红方国王不知从什么地
fang zuān chū lái ài lì sī xiǎng duō kuī bǎ pī
方钻出来。爱丽丝想：“多亏把披
jiān shōu qǐ lái le yào bù rán fēi yǒu yī chǎng zhàn
肩收起来了，要不然非有一场战
dòu bù kě
斗不可。”

hóng fāng guó wáng duì ài lì sī shuō nǐ bù
红方国王对爱丽丝说：“你不
cān jiā wáng hòu de chuí qiú yóu xì zhè yàng cōng cōng
参加王后的槌球游戏，这样匆匆
gǎn lù yī dìng yǒu shén me shì qing
赶路一定有什么事情。”

ài lì sī shuō wǒ bù yuàn cān jiā wáng hòu
爱丽丝说：“我不愿参加王后
de chuí qiú yóu xì shì wèi le gǎn kuài huí jiā bìng
的槌球游戏，是为了赶快回家，并
méi yǒu bié de yuán yīn
没有别的原因。

hóng fāng guó wáng shuō jì rán zhè yàng wǒ
红方国王说：“既然这样，我
gěi nǐ bèi yī shǒu shī nǐ zài zǒu xī wàng nǐ tīng
给你背一首诗你再走。希望你听
wán néng tí chū bǎo guì yì jiàn
完能提出宝贵意见。”

hóng fāng guó wáng kāi shǐ bèi sòng
红方国王开始背诵：

cóng qián yǒu yī gè yīng jùn de qīng nián
从前有一个英俊的青年，

tā jū wú dìng suǒ shí wú gé yè cān
他居无定所食无隔夜餐。
zhěng rì wèi bié rén xīn qín láo zuò
整日为别人辛勤劳作，
pò jiù de yī fu dǎng bù zhù fēng hán
破旧的衣服挡不住风寒。
yǒu yī tiān tā fā xiàn shān jiàn yǒu tiáo xiǎo xī
有一天他发现山涧有条小溪，
xī shuǐ kě yǐ yòng huǒ chái diǎn rán
溪水可以用火柴点燃。
cóng cǐ rén men bǎ tā dāng yuán liào
从此人们把它当原料，
fā míng le qì chē fēi jī hé lún chuán
发明了汽车、飞机和轮船。
qīng nián rén mǎn yǐ wéi yǒu le hǎo rì zi
青年人满以为有了好日子，
shuí xiǎng dào yī qún qiáng dào chū xiàn
谁想到一群强盗出现。
tā men bà zhàn xiǎo xī gǎn zǒu qīng nián
他们霸占小溪赶走青年，
xiǎo xī chéng wéi qiáng dào yāo bāo de jīn qián
小溪成为强盗腰包的金钱。
qiáng dào men zhěng rì zuò lè xún huān
强盗们整日作乐寻欢，
jī nù le yī wèi shén xiān
激怒了一位神仙。
tā shī zhǎn fǎ shù bǎ qiáng dào shā sǐ
他施展法术把强盗杀死，
ràng yīng jùn de qīng nián huí dào jiā yuán
让英俊的青年回到家园。
kǔ nàn de rì zi zhōng yú guò qù
苦难的日子终于过去，

qīng nián rén de liǎn shang lù chū xiào yán
青年人的脸上露出笑颜。

tā zhī dào shén me jiào zuò chī shān kōng
他知道什么叫坐吃山空，

suǒ yǐ měi tiān dōu láo dòng dào yè wǎn
所以每天都劳动到夜晚。

hòu lái tā yǒu le wú shù cái fù
后来他有了无数财富，

hái yǒu měi lì háo huá de gōng diàn
还有美丽豪华的宫殿。

hóng fāng guó wáng bèi wán shī gào su ài lì sī
红方国王背完诗告诉爱丽丝，

shī zhōng de qīng nián jiù shì hóng fāng guó wáng de fù qīn
诗中的青年就是红方国王的父亲。

rú guǒ ài lì sī yǒu xìng qù kě yǐ qù bài jiàn tā
如果爱丽丝有兴趣，可以去拜见他。

参选王后

爱丽丝一心想着参选白方国王后的事情，所以谢绝了红方国国王的邀请。但是，她对老国王传奇的经历还是很敬佩。

爱丽丝披着白衣宠儿送给她的披肩，步履轻盈如飞，不大功夫就来到白方国属地。她看见宫殿前的广场上正举办舞会，就走上前去。她刚站稳脚步，就听到有人喊：“你们瞧，这是哪来的小公

zhǔ rú cǐ piào liang kě rén
主？如此漂亮可人。”

dùn shí dà jiā de mù guāng yī qí tóu xiàng
顿时，大家的目光一齐投向
ài lì sī zhòng duō mù guāng zhōng yǒu zàn tàn xiàn
爱丽丝。众多目光中有赞叹、羡
mù yě bù fá dù jí ài lì sī yǒu xiē jǐn
慕、也不乏妒嫉。爱丽丝有些紧
zhāng tā shuāng shǒu jǐn zhuài zhe pī jiān shēng pà zhè
张。她双手紧拽着披肩，生怕这
gè jiē gu yǎn pī jiān huá diào nà tā jiù huì lì
个节骨眼披肩滑掉，那她就会立
kè biàn chéng yī gè zhǐ yǒu yīng cùn gāo de chǒu
刻变成一个只有20英寸高的“丑
xiǎo yā
小鸭”。

tū rán rén qún lǐ yǒu rén dà shēng shuō zhè
突然人群里有人大声说：“这

个小公主是王后最好的人选，快去叫国王前来定夺。”

这时，国王真的被人们簇拥而来。他站在爱丽丝面前，仔细打量着她。国王对爱丽丝的衣着，身材，长相都很满意。国王最感兴趣的是她那一头柔顺的秀发。国王问爱丽丝：“这些头发是真实的还是丝线做的？”

爱丽丝感觉国王问的有些不

礼貌，她不卑不亢地说：“头发哪有丝线做的，除非那个人是布娃娃。”

国王被爱丽丝的回答逗笑了。他说：“你会做算术吗？当王后要管理内政，不会算术很容易被欺骗。”

爱丽丝说：“我上三年级，不超过三年级的算术我都会做。”

“那么，1+1+1+1+1+1+1+1+1+1+1等于多少？”有个侍从抢着说。

“我不知道。”爱丽丝感觉这个侍从在难为她。

国王说：“7－9等于多少？”

爱丽丝又说：“我不会做这种怪题。”

国王很不高兴，他说：“你是当王后的材料，不过你还要继续

好好上学，变成一个聪明的王后。这顶王冠先戴在你的头上，就是说王后非你莫属。”

爱丽丝接受国王的王冠，她心跳得又慌又快，想不到这么容易就当上了“准王后”。

爱丽丝头上戴着很重的王冠不习惯，她走路时一点一点挪动，生怕王冠摔下来，上面的金银玛瑙会摔坏。她一手拽着披肩一手扶着王冠，感觉很累。

看来王冠并不是最好的东西，而最好的东西是自由自在和随心所欲。爱丽丝这么想着就觉得自己很不知足，刚刚得到别人得不到的东西却又厌倦。

“你会朗读文章吗？最好是诗歌或散文，听起来更有味道。”国王问爱丽丝。

“我会用法语朗读，但是我不会背诵，只能照着书本读。”爱丽丝说。

国王说：“我很喜欢说法语。法语本身就像读诗，韵律感很强。每年冬天我们就把几个黑夜一起过，大家在一起读诗文，为的是暖

huo yī xiē
和一些。”

shén me dōng tiān jǐ gè hēi yè yī qǐ guò
“什么？冬天几个黑夜一起过
huì nuǎn huo yī xiē nà me xià tiān nǐ men yī dìng
会暖和一些，那么夏天你们一定
huì jǐ gè bái tiān yī qǐ guò wèi shì de liáng kuài
会几个白天一起过，为是的凉快
yī xiē le ài lì sī kǒu qì dài zhe yī xiē
一些了？”爱丽丝口气带着一些
cháo xiào
嘲笑。

guó wáng shuō nǐ zhēn cōng míng dōng tiān wǔ
国王说：“你真聪明，冬天五
gè hēi yè yī qǐ guò jiù nuǎn huo wǔ bèi xià tiān
个黑夜一起过就暖和五倍。夏天
wǔ gè bái tiān yī qǐ guò jiù liáng kuài wǔ bèi jiù
五个白天一起过就凉快五倍。就

像我比别人聪明五倍，你来了，我又比别人富有五倍。”

爱丽丝真是不明白国王的逻辑。

爱丽丝跟国王争论不休，直到天上布满繁星，国王才困得去睡觉。其他人也东倒西歪躺在广场上。

爱丽丝怕他们夜宿室外会着凉，想找些被子给他们盖上。她在广场四周转了一圈，也没找到一条被子。等她再看睡到地上的国王和其他人时，他们都变成了几英寸的小人。爱丽丝找来一些栎树叶准备给他们盖上。爱丽丝从小到大没照顾过这么多人，她一个树叶一个树叶往小人们身上

gài gǎn jué hěn lèi
盖，感觉很累。

zhǐ guò le wǔ fēn zhōng guó wáng jiù hān shēng
只过了五分钟，国王就鼾声
rú léi ài lì sī gù yì zài tā shēn biān dà shēng
如雷。爱丽丝故意在他身边大声
ké sou lái huí duó bù guó wáng sī háo bù shòu yǐng
咳嗽，来回踱步，国王丝毫不受影
xiǎng hān shēng yuè lái yuè xiàng mèn léi ài lì sī
响，鼾声越来越像闷雷。爱丽丝
xiǎng gěi tā dāng wáng hòu shì duō dà de bù xìng a
想："给他当王后是多大的不幸啊！"

ài lì sī shuì bù zháo jiào tā zài guǎngchǎng
爱丽丝睡不着觉，她在广场
sì zhōu zhuàn you tā fā xiàn zài guǎngchǎng běi miàn
四周转悠。她发现在广场北面，
yǒu yī gè xióng wěi de gǒng mén mén kǒu guà zhe yī
有一个雄伟的拱门。门口挂着一
kuài pái zi shàng mian xiě zhe ài lì sī wáng hòu
块牌子，上面写着"爱丽丝王后"

ài lì sī àn le yī xià mén líng mén dǎ
爱丽丝按了一下门铃，门打
kāi yī tiáo xiǎo fèng yī gè dà zuǐ ba de jiā huo
开一条小缝。一个大嘴巴的家伙
cóng mén fèng tàn chū tóu lái shuō yào děng dào xià gè
从门缝探出头来说："要等到下个
xīng qī nín cái néng jìn lái shuō wán bǎ mén guānshàng
星期您才能进来。"说完把门关上。

ài lì sī zài mén wài bù tíng de qiāo lǐ
爱丽丝在门外不停地敲，里
mian zài méi rén huí shēng tā zhǐ hǎo zhuǎn shēn lí qù
面再没人回声。她只好转身离去。

zhè shí cóng yī kē shù xià zhàn qǐ yī zhī dà qīng wā tā bù lǚ pán shān yíng zhe ài lì sī zǒu guò lái qīng wā chuān zhe yī jiàn huáng lǜ tiáo xiāng jiān de wài tào hé yī shuāng dà tóu xié

这时，从一棵树下站起一只大青蛙，它步履蹒跚迎着爱丽丝走过来。青蛙穿着一件黄绿条相间的外套和一双大头鞋。

tā duì ài lì sī shuō nǐ qiāo mén de shēng

它对爱丽丝说："你敲门的声

yīn bù gòu dà yào zhè yàng cái néng bǎ mén qiāo kāi shuō wán tā shēn chū dà tóu xié dōng dōng dōng tī mén

音不够大，要这样才能把门敲开。"说完它伸出大头鞋，咚咚咚踢门。

dà mén guǒ rán dǎ kāi le lǐ miàn de rén men qí shēng gāo hǎn huān yíng ài lì sī wáng hòu jià dào

大门果然打开了，里面的人们齐声高喊："欢迎爱丽丝王后驾到！"

爱丽丝用双手拽住披肩，挺着胸膛，很自信地走进一个大房间。这个房间有一个能围坐五十个人的大餐桌。爱丽丝被请到正位，其他人围坐在四周。

“下面请从镜子中来的爱丽丝王后和我们共进晚餐，大家鼓掌欢迎。”一个大青蛙说完带头鼓掌。爱丽丝这才看清，围桌子坐的真是各路神仙都有。什么蜥蜴、毛毛虫、豪猪、鸭子、白鹅，还有这个说话的大青蛙。

大青蛙把一碗汤端给爱丽丝，它说：“王后，请用羊毛汤，美容养颜效果很好。”

爱丽丝看着汤里浸泡的羊毛

很恶心，她不想再继续参加这样的晚餐，寻找机会想尽快离去。

这时大青蛙又端来一杯红酒。它对爱丽丝说："王后，请用猪毛泡的酒，开胃又健体。"爱丽丝接过酒杯还没端到嘴边就闻到一股馊猪毛味。她赶快把酒杯放在桌子上。

周围的动物们发出叽叽喳喳的议论："瞧，多挑剔的王后，连羊毛汤和猪毛酒都不喝，牛

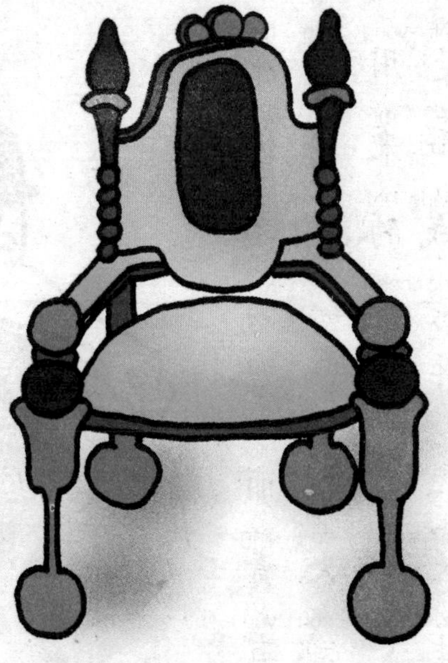

毛馅饼就更不会吃了。以后她办宴会我们就没什么好吃的食物和酒了。”

爱丽丝真想笑，它们的食物太怪了。

大青蛙怕爱丽丝离去，又端来一盘糕点。它殷勤地说：“王后，这糕点是用鲜花和米粉做成的，您不妨尝一尝，很好吃。”

爱丽丝问大青蛙：“都有

什么鲜花？”

大青蛙说：“有玫瑰、茉莉、菊花、百合、桂花、荷花，还有南瓜花。”

爱丽丝一听都是可食用并有营养的鲜花就高兴了。她拿刀叉在糕点上切下一大块，放在盘子里大口吃起来，味道果然又香又甜。爱丽丝心想：“等我真的封为王后，厨师里只留做糕点的这一个，其他两位做羊毛汤、猪毛酒的全解聘。”

大青娃看着爱丽丝很爱吃鲜花糕点非常高兴，它端着糕点盘子在地上跳起舞来。

大青蛙边跳边唱，载歌载舞。

péng you xiāng jù huān lè shí guāng
朋友相聚欢乐时光，
duān lái gāo diǎn měi jiǔ hé xiān tāng
端来糕点、美酒和鲜汤。
qǐng dà jiā jìn qíng pǐn cháng
请大家尽情品尝，
kàn kàn chú shī de shǒu yì gāi bù gāi jiǎng shǎng
看看厨师的手艺该不该奖赏。
péng you xiāng jù duō me huān chàng
朋友相聚多么欢畅，
jiù xiàng mǎn tiān xīng dǒu jiāo xiāng huī yìng
就像满天星斗交相辉映。
zhè yàng de wǎn cān yǒng yuǎn bù sàn
这样的晚餐永远不散，
zhí dào míng rì dōng fāng shēng qǐ tài yáng
直到明日东方升起太阳。

ài lì sī tīng dà qīng wā chàng dào wǎn cān yào yán xù dào míng tiān zǎo chen tài yáng shēng qǐ lái xīn li fēi cháng zháo jí tā fàng xīn bù xià shuì zài guǎng chǎng shang de nà xiē rén
爱丽丝听大青蛙唱到，晚餐要延续到明天早晨太阳升起来，心里非常着急。她放心不下睡在广场上的那些人。

ài lì sī zài dà qīng wā de hù sòng xià lái dào guǎng chǎng nà xiē shuì zài lì shù yè xià mian de rén bāo kuò guó wáng dōu jūn yún de dǎ zhe hū lū
爱丽丝在大青蛙的护送下来到广场。那些睡在栎树叶下面的人，包括国王都均匀地打着呼噜。

ài lì sī hé dà qīng wā dī shēng jiāo tán
爱丽丝和大青蛙低声交谈。

爱丽丝说："你穿多少码的鞋？"

大青蛙说："40码，相当一个青年人的鞋子。"

爱丽丝有些惊讶："你怎么会长这么大的脚？"

大青蛙说："我们家族吃了多种药，全部进化了。我爷爷像我这么大时，才穿10码的鞋。我爸爸像我这么大穿20码的鞋。到我这

里就变40码了。而且我的脚还有继续长大的趋势。”

爱丽丝对大青蛙说：“你的脚千万不要长了，你的身体与自己的脚已经不成比例了。”

“没关系，我爸爸说河里有许多药能促进身体各部分的发育。只要我们在河水里生活几个月，想长胳膊就长胳膊。想长腿就长腿。”

爱丽丝说：“这些奇特的药叫什么名字？”

大青蛙掰着手指数出来：“河水里有残留的农药，有老鼠吃剩下的鼠药，有人们扔掉的人治病的药，还有兽药和毒药。”

爱丽丝听了一阵胆寒，长期下去大青蛙会长得比人还大，将来的国王必定是大青蛙来当。爱丽丝心想：

“我可不愿意给丑陋的大青蛙当王后。”

爱丽丝和大青蛙的谈话虽然声音很轻，还是被国王听见了。他从栎树叶下翻身起来，立刻喊侍从们奏舞曲。

于是，侍从们纷纷掀开身上盖着的栎树叶，快速各就各位。两个侍从因为跑得太快撞在一起，

gè zì é tóu gǔ qǐ yī gè dà hóng bāo 。 tā men
各自额头鼓起一个大红包。他们
shǒu zhōng de yuè qì yě shuāi zài dì shang ， xìng kuī dōu
手中的乐器也摔在地上，幸亏都
shì qīng tóng dǎ jī yuè qì ， shuāi zài dì shang yě méi
是青铜打击乐器，摔在地上也没
shuāi huài 。
摔坏。

guó wáng kàn zhe tā yī shēng lìng xià ， xiàng tuó
国王看着他一声令下，像陀
luó yī yàng zhuàn lái zhuàn qù de shì cóng men àn zì fā
螺一样转来转去的侍从们暗自发
xiào 。 tā duì ài lì sī shuō ： “ cóng zhè zhī wǔ qǔ
笑。他对爱丽丝说：“从这支舞曲
kāi shǐ ， nǐ jiù shì zhēn zhèng de wáng hòu le 。”
开始，你就是真正的王后了。”

yuè shǒu men kāi shǐ
乐手们开始
tán zòu gè zì de yuè qì ，
弹奏各自的乐器，
méi yǒu zhǐ huī ， méi yǒu tǒng
没有指挥，没有统
yī de qǔ diào ， zhēng zhēng luàn
一的曲调，铮铮乱
xiǎng ， zhèn de ài lì sī zhí
响，震得爱丽丝直
wǔ ěr duo 。 “ zhè shì shén
捂耳朵。“这是什
me wǔ qǔ ya ？ ” ài lì
么舞曲呀？”爱丽
sī bào yuàn 。
丝抱怨。

消失的镜中世界

爱丽丝看着国王随着嘈杂的音乐手舞足蹈，心里充满鄙夷。她想："这样昼夜寻欢作乐的国王，能够把一个国家治理好真是怪事了。

爱丽丝在人群中寻找大青蛙，她想让大青蛙指给自己回家的路。这时候大青蛙正靠着一棵大树打瞌睡。爱丽丝推了它一下，大青蛙才睁开眼睛。它对爱丽丝说：

“王后，有何吩咐？”

“我不是什么王后，你就叫我爱丽丝。”

“不，你已经是王后了，我不敢提名道姓。”大青蛙一本正经地说。

爱丽丝见大青蛙脑子不开窍，只好实话实说。

爱丽丝对大青蛙说：“我对当王后没兴趣，只想快找到那块能使我回家的镜子。回去看看我的小黑猫是否安然无恙。

大青蛙说：“这怕是不容易，国王新选中的王后就失踪，对国王来说太没面子。”

爱丽丝说：“你一定要帮助我，将来我会回报你的。”

大青蛙想了想说："广场西边有一条河，我把一只鞋送给你当船，你就顺着河向下游一直漂下去，就能找到你迷失的那块镜子。"

爱丽丝说："你没了一只鞋怎

么走路？"

大青蛙说："我把另一只鞋也藏起来，然后赤脚上阵。"

爱丽丝感觉大青蛙很风趣，

她顺便告诉大青蛙，千万尽快搬家，河水里的那么多药，会毁灭它们家族。

大青蛙伤心地说："我们也意识到了变异的严重性，但是"故土难离"，总下不了决心。看来，今后非要背井离乡了。"

爱丽丝告别了大青蛙，她坐在了大青蛙的鞋船里，一直漂向下游，漂到一块巨大的瀑布前，爱

lì sī tòu guò huā huā de shuǐ shēng tīng jiàn le xiǎo
丽丝透过哗哗的水声，听见了小
hēi māo de jiào shēng tā bǎ xiǎo chuán piāo dào lí pù
黑猫的叫声，她把小船漂到离瀑
bù zuì jìn de dì fang xiǎng chuān guò pù bù qù zhuō
布最近的地方，想穿过瀑布去捉
xiǎo hēi māo
小黑猫。

zhè shí pù bù tū rán xiāo shī le ài lì
这时，瀑布突然消失了，爱丽
sī róu le róu yǎn jing fā xiàn xiǎo hēi māo zhèng wò
丝揉了揉眼睛，发现小黑猫正卧
zài fú shǒu yǐ lǐ cháo tā mī mī de jiào ài lì
在扶手椅里朝她咪咪地叫。爱丽
sī chì zé xiǎo hēi māo nǐ qiáo nǐ bǎ wǒ de
丝斥责小黑猫：“你瞧你，把我的
hǎo mèng gěi jīng xǐng le wǒ hé nǐ yī qǐ dào guò
好梦给惊醒了。我和你一起到过
jìng zi li bù zhī dào nǐ jì bu jì de
镜子里，不知道你记不记得？”

xiǎo hēi māo mī mī jiào le jǐ shēng rán hòu
小黑猫咪咪叫了几声，然后
pāo gěi ài lì sī yī gè zhǐ tiáo zhǐ tiáo shang xiě
抛给爱丽丝一个纸条。纸条上写
zhe yī shǒu xiǎo shī
着一首小诗：

yǒu yī zhī xiǎo chuán zài mèng de hǎi shang piāo dàng
有一只小船在梦的海上漂荡，
chuánshang de xiǎo gū niang chōng mǎn huàn xiǎng
船上的小姑娘充满幻想。
tā dāng guò huā xiān yòu zuò wáng hòu
她当过花仙又做王后，

jiā lǐ de gōng kè zǎo bèi yí wàng
家里的功课早被遗忘。

mèng zhōng de shì jiè duǎn zàn yòu xū wú
梦中的世界短暂又虚无，

xiǎo gū niang què chén miǎn qí zhōng xún zhǎo xī wàng
小姑娘却沉湎其中寻找希望。

dāng tā shī qù le xǔ duō péng you zhī hòu
当她失去了许多朋友之后，

cái zhī dào zhēn xī yǎn qián de shí guāng
才知道珍惜眼前的时光。

tā ào huǐ yí gè xià jì zài lǎn duò zhōng dù guò
她懊悔一个夏季在懒惰中度过，

shēn tǐ hé zhī shi dōu méi yǒu zēng zhǎng
身体和知识都没有增长。

cóng jīn yǐ hòu zài bù néng xū dù rén shēng
从今以后再不能虚度人生，

dào tóu lái yī qiè dōu shì mèng huàn yī chǎng
到头来一切都是梦幻一场。

ài lì sī xǐng le tā fǎn fù kàn zhe xiǎo hēi māo rēng gěi tā de zhè zhāng zhǐ tiáo hé zhǐ tiáo shang de shī jù tā zài xiǎng wǒ zài yī gè yī gè de mèng jìng zhōng yóu lì le nà me duō dì fang jīng lì le nà me duō shì qing jié shí le nà me duō péng you wǒ suàn shì xū dù shí guāng ma

爱丽丝醒了，她反复看着小黑猫扔给她的这张纸条和纸条上的诗句。她在想，我在一个一个的梦境中游历了那么多地方，经历了那么多事情，结识了那么多朋友，我算是虚度时光吗？

她想把梦中、镜子中遇到的事情都告诉姐姐，让姐姐也知道，除了生活中的事情，还有梦中、镜子中的事情值得回忆。爱丽丝喊了好几声，也不见姐姐回答，她只好走出屋子，只见姐姐躺在竹躺椅上，睡得很香，嘴角带着甜蜜的笑靥。

爱丽丝心想，姐姐一定也走进了梦中的美妙世界，千万别吵醒她，让姐姐亲自去感受一下梦境的美好，没有梦的童年是多么枯燥啊。

爱丽丝坐在姐姐身旁，轻轻地为姐姐驱走身上的蚊虫。她想，野蜜蜂会走进姐姐的梦境吗？还有红方王后、白方王后、孪生兄弟、胖墩、山羊婆、小豪猪、水鸟等等。

愿姐姐的梦比爱丽丝的梦更加丰富多彩。